まちごとチャイナ
山東省 007

済南
黄河と泰山はざまの「山東省都」
［モノクロノートブック版］

JN122306

街の北を黄河が流れ、南50kmに泰山がそびえる山東省の省都、済南。この地は新石器時代の龍山文化（済南、東30kmの龍山鎮城子崖遺跡）の中心地で、その後、漢代に「済南」という名前が使われるなど、古い歴史をもつ。宋代の1116年に済南府の治所となり、明清時代には山東省の省都がおかれていた。

　「天下第一泉」とたたえられる趵突泉はじめ、街のいたるところから泉が湧くため、済南は「泉城」と呼ばれ、それらの水は大明湖へそそぎ込む。華北にあって水と緑の豊かな

街であり、杜甫や李白など多くの文人が訪れ、「済南名士多」の言葉も知られた。

　また清朝末期の1904年、ドイツ租界となった青島に対抗するため、中国側が商埠地をおいて自ら済南を対外開放（開港）した。近代、中国、ドイツ、日本の思惑が済南をめぐって交錯し、1949年の中華人民共和国成立以後は山東省の省都となった。北京や天津、山東省各地に通じる交通の利もあって、済南はこの省の政治、経済、文化の中心地となっている。

まちごとチャイナ｜山東省 007

済南

黄河と泰山はざまの「山東省都」

Asia City Guide Production
Shandong 007
Jinan

済南／ji nan／ジイナァン

「アジア城市（まち）案内」制作委員会
まちごとパブリッシング

Contents

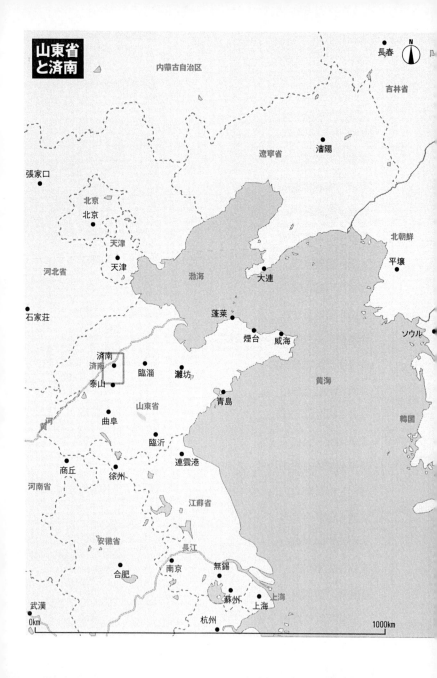

山東省
と済南

内蒙古自治区

長春

吉林省

遼寧省

瀋陽

張家口

北京
北京

北朝鮮

天津
天津

平壌

河北省

渤海

大連

石家荘

蓬莱

煙台　威海

ソウル

済南
済南
泰山

臨淄

濰坊

黄海

韓国

山東省

青島

黄河

曲阜

臨沂

商丘

徐州

連雲港

河南省

江蘇省

安徽省

長江

合肥

南京

無錫

武漢

蘇州　上海
上海

0km

杭州

1000km

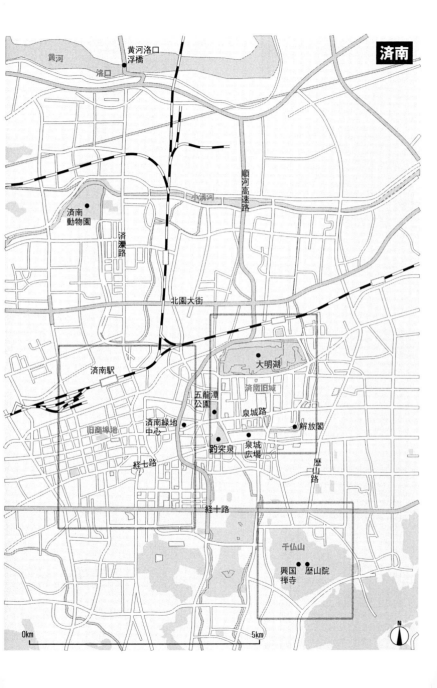

★★★

趵突泉／趵突泉 バァオトゥチュゥアン
大明湖／大明湖 ダアミィンフウ
千仏山／千佛山 チィエンフウシャン

★★☆

済南旧城／济南旧城 ジイナァンジゥチャアン
解放閣／解放阁 ジエファンガア
旧商埠地／商埠地 シャンブウディ
歴山院／历山院 リイシャンユゥエン
興国禅寺／兴国禅寺 シィングゥオチャンスウ
黄河／黄河 フゥアンハア

★☆☆

泉城路／泉城路 チュゥエンチャァンルウ
五龍潭公園／五龙潭公园 ウウロォンタァンゴォンユゥエン
済南緑地中心／济南绿地中心 ジイナァンリュゥディチョンシィン
済南鉄道駅／济南火车站 ジイナァンフゥオチャアジアン
経十路／经十路 ジンシイルウ
済南動物園／济南动物园 ジイナァンドォンウウユゥエン
小清河／小清河 シャオチィンハア
黄河洛口浮橋／黄河洛口浮桥 フゥアンハアルウコォウフウチィアオ
洛口／洛口 ルウコォウ

斉多甘水冠于天下泉湧く都

済南の山水は斉魯に甲たり
華北にありながら江南のような風光をもち
伝統ある山東省の省都、済南

由緒ある山東の省都

　華北最大の河である「黄河」の下流域に位置し、道教の中心地「泰山」、孔子の生まれた儒教の聖地「曲阜」を抱え、人口も稠密な山東省は、歴代王朝からことのほか重視されてきた。春秋戦国時代、臨淄に斉の都がおかれ、元や明初期には青州が山東省の中心だったが、首都北京から見て「南の門」にあたり、運河や江南への地の利もある済南に明清時代の省都がおかれた。城壁をめぐらせたかつての済南旧城の中心に、明の徳王府（現在の珍珠泉あたり）が位置し、清代、省を管轄する巡撫はここに拠点をおいた。そうしたことから、布政司街、按察司街、貢院墻根街など、済南旧城には当時の行政府の姿を思わせる地名が残っている。また済南には、山東省（省）、済南府（府）、歴城県（県）という規模の異なる3つの行政機関（官署）とともに、3つの城隍廟があった（山東省城の城隍廟、済南府城の城隍廟、歴城県の城隍廟）。

72の泉が湧く都

　山東の地下層では、始原代の片麻岩や石灰岩が続いている。済南の地は周囲より少し低くなっていて、南50kmの泰山山系から流れてくる地下水がここに集まる。それらカルス

ト溶洞(石灰洞)に蓄えられた地下水が石灰岩の裂け目から
噴出し、済南では市街のいたるところから泉となって現れ
る(1m近く吹きあげる泉もめずらしくなかったという)。趵突泉、黒虎
泉、珍珠泉、五龍潭の四大泉群はじめ、済南には七十二泉と
も、それ以上ともいう泉が湧く。泉水が城濠をつくり、それ
らの水が済南旧城の3分の1を占める大明湖を形成する。こ
うしたところから済南は「泉城」と呼ばれ、旅医の老残によ
る清朝末期の各地の見聞を記した『老残遊記』の言葉「家家
泉水、戸戸垂楊(済南では各家に泉があり、戸ごとに柳の枝が垂れてい
る)」が知られる。20世紀以降、都市人口の増加やそれにとも
なう水の需要で、噴出が弱まったこともあり、現在、地下水
の利用は制限され、済南の泉は鑑賞の対象となっている。

済南という地名

　春秋戦国時代、山東省には斉の国があり、当時の済南は千
仏山(歴山)の麓にある「歴城」とも、趵突泉の湧く「濼」とも呼
ばれていた。「済南」という地名は、漢代(紀元前202～220年)に
現れ、街の北側を流れ、現在の黄河にあたる「済水の南」に由
来する(紀元前164年、斉博恵王の子、碎光を国王とする済南国がおかれ
た)。当時の「済南(の場所)」は東郊外の龍山鎮にあり、現在の
地(歴城、濼)に遷されたのは晋代以降のことで、隋唐時代は
「斉州」と呼ばれた。宋代の1116年に済南府がおかれて、以
後、「済南」の名前が使われた。済南の「済(サイ)」は「済(セイ)」
とも読めるが、山東省の古名の「斉(セイ)」と区別して「済南
(サイナン)」と慣用的に読む。

済南料理とは

　山東料理(魯菜)は済南料理、膠東料理、孔府料理の3系統に
わけられる。済南料理は歴下菜とも呼ばれ、黄河の鯉や小清
河のエビやカニ、また大明湖やその北一帯の農地の野菜、章

「家家泉水、戸戸垂楊」の面影を見せる曲水亭街

人の肩と肩がぶつかるにぎわいの芙蓉街

旧城の3分の1を占める巨大な大明湖

趵突泉をはじめ天下に知られた名泉が湧く

丘のネギなど、周囲で収穫される食材が使われた。とくにネギとニンニクといった香味野菜をふんだんに使い、醤油や味噌で濃い目に味つけをする。炸、煎、爆、炒、扒といったきめ細やかな調理法で知られ、鯉(コイ)の丸揚げあんかけ「糖醋鯉魚」、済南人が愛する豚のもつ煮込み「九転大腸(紅焼大腸)」、大明湖の蓮の花を調理した「明湖脆藕」、らせん状にこねた小麦粉を焼きあげるおやつの「油旋」が済南料理の代表格。1932年創業の「燕喜堂」(「清燕湯菜」「奶湯魚翅」が名物料理)、済南庶民が通う小吃料理の「草包包子」、焼き餃子(鍋貼)の「便宜坊」といった老舗が知られた。

済南の構成

　北の黄河、南の千仏山(泰山山系)という豊かな自然に囲まれた済南。済南にはいくつもの泉が湧き、それらは大明湖に注ぎ込む。明清時代の城壁(内城)が大明湖を包括するように走り、清代、方形の内城の外側に楕円形の外城が整備された。これが明清時代以来の「済南旧城」で、西門大街(現泉城路)、東門大街(現大明湖路)、芙蓉街などがにぎわいを見せていた。この済南旧城に対し、清朝末期の1904年、西欧諸国へ開いた「商埠地」が済南旧城の西側に位置した。商埠地は鉄道駅を中心に整然とした碁盤の目状の区画をもち、済南旧城と双子都市の様相を示した(また20世紀前半の日本統治時代には商埠地の南に住宅地、北側に工業区が建設された)。現在、済南の市街はさらに拡大し、周囲の耕作地は工業用地や居住地へと変貌していった。20世紀末より、済南の郊外では、オリンピックスタジアムのある「東部新城(高新技術開発区)」と、高鉄の走る「西部新城」というように、開発が進められ、済南の広域化が進んでいる。

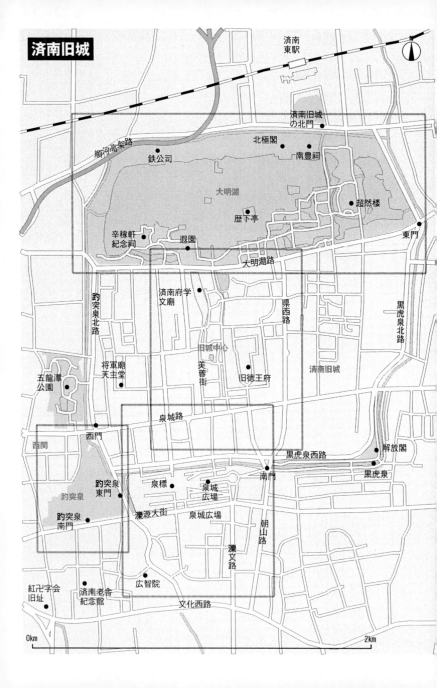

済南旧城

済南
東駅

済南旧城
の北門

順河高架路

鉄公司

北極閣

南豊祠

大明湖

歴下亭

超然楼

辛稼軒
紀念祠

遐園

東門

大明湖路

済南府学
文廟

県西路

釣突泉北路

旧城中心

済南旧城

将軍廟
天主堂

五龍潭
公園

芙蓉街

旧徳王府

黒虎泉北路

泉城路

西門

南関

黒虎泉西路

解放閣

黒虎泉

釣突泉
東門

泉標

泉城
広場

南門

釣突泉

濼源大街

泉城広場

朝山路

釣突泉
南門

濼文路

紅卍字会
旧址

済南老舎
紀念館

広智院

文化西路

0km   2km

★★★
趵突泉／趵突泉 バァオトゥチュゥアン
芙蓉街／芙蓉街 フウロォンジエ
大明湖／大明湖 ダアミィンフウ
★★☆
泉標／泉标 チュゥエンビィアオ
歴下亭／历下亭 リイシィアティン
解放閣／解放阁 ジエファンガア
黒虎泉／黑虎泉 ヘェイフウチュゥエン
西関／西关 シイグゥアン
紅卍字会旧址／红卍字会旧址 ホォンワァンツウフゥイジィウチイ
広智院／广智院 グゥアンチイユゥエン
★☆☆
泉城広場／泉城广场 チュゥエンチャァングゥアンチァアン
泉城路／泉城路 チュゥエンチャァンルウ
済南府学文廟／济南府学文庙 ジイナァンフウシュエウェンミィアオ
旧徳王府／德王府 ダアワァンフウ
超然楼／超然楼 チャオラァンロウ
南豊祠／南丰祠 ナァンフェンツウ
北極閣／北极阁 ベェイジイガア
鉄公司／铁公祠 ティエゴォンツウ
遐園／遐园 シィアユゥエン
辛稼軒紀念祠／辛稼轩纪念祠 シィンジィアシュウアンジイニィエンツウ
大明湖路／大明湖路 ダアミィンフウルウ
将軍廟街天主教堂／将军庙街天主教堂 ジィアンジュンミィアオジエティエンチュウジィアオタァン
五龍潭公園／五龙潭公园 ウウロォンタァンゴォンユゥエン
済南老舎紀念館／济南老舍纪念馆 ジイナァンラオシェジイニィエングゥアン

泉城広場城市案内

Quan Cheng Guang Chang

済南旧城の南門外にあたった地
1999年に泉城広場が整備され
済南のランドマークとなっている

南関／南关 ★☆☆

nán guān

なんかん／ナァングゥアン

　済南旧城の正門にあたった南門は、南の千仏山(歴山)へ道が続くことから歴山門、舜田門とも呼ばれた。歴山門内の南門大街から城外の南関界隈には、明清時代、舜をまつる舜廟や、泰山の神さまをまつる東岳廟、斉の建国者である太公望をまつった太公廟があり、済南旧城でももっともにぎわう場所だった(泰山をまつる東岳廟は普通、東門におかれたが、済南では実際に泰山のそびえる南門外にあった)。こうした南関一帯は20世紀後半から再開発が進んで、泉城広場が整備され、周囲には大型商業店舗が林立する。済南を象徴する都市のモニュメント「泉標」が立ち、あたりは済南最大の商業圏となっている。

泉城広場／泉城广场 ★☆☆

quán chéng guǎng chǎng

せんじょうひろば／チュウエンチャアングゥアンチャアン

　済南旧城南関の地に、1999年につくられた泉城広場。ちょうど南の千仏山、北の大明湖、西の趵突泉という済南三大名所の中間地点にあたり、済南を訪れる人を迎える「市城大客庁」となっている。東西790m、南北220mの広場には、この街のシンボルである「泉標」が立つほか、東の文化長廊に、舜、

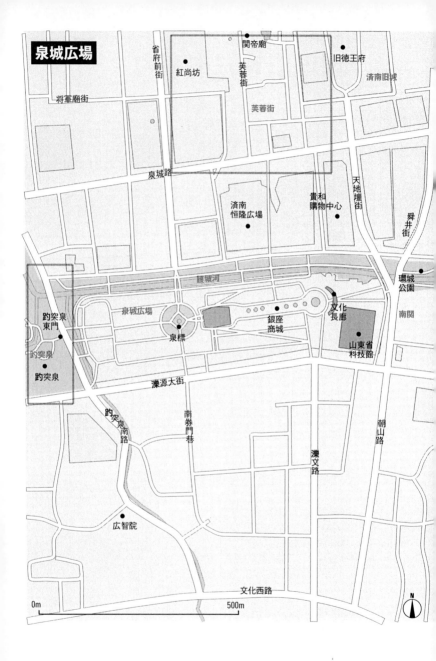

泉城広場

省府前街
将軍廟街
紅尚坊
関帝廟
芙蓉街
旧徳王府
済南旧域
芙蓉街
泉城路
済南
恒隆広場
貴和
購物中心
天地壇街
舜井街
護城河
環城
公園
泉城広場
趵突泉
東門
趵突泉
泉標
銀座
商城
文化
長廊
南関
山東省
科技館
趵突泉
濼源大街
趵突泉南路
南券門巷
濼文路
朝山路
広智院
文化西路

0m   500m

N

孔子、王羲之、諸葛亮孔明、蒲松齢、戚継光といった山東省や済南ゆかりの12人の塑像が立つ。泉城広場の地下に「銀座商城」が位置し、「済南恒隆広場」「貴和購物中心」といった大型商業店舗が周囲にならぶ、済南随一の商圏でもある。

泉標／泉标★★☆
quán biāo
せんひょう／チュウエンビィアオ

泉城広場の中心に立つ青色のモニュメント「泉標」。高さ38m、重さ170トンで、青色の3本の線が折れ曲がって形をつくり、中心に球体が浮かぶ。趵突泉や黒虎泉の湧く済南は、しばしば泉城と呼ばれ、泉標は古い時代に使われていた篆書体で「泉」という文字が表現されている。この泉標の底部には、済南に湧く72の泉の名称が記してある。

★★★
趵突泉／趵突泉 バァオトゥゥチュゥアン
芙蓉街／芙蓉街 フゥロォンジエ

★★☆
泉標／泉标 チュゥエンビィアオ
済南旧城／济南旧城 ジイナァンジゥウチャアン
広智院／广智院 グゥアンチイユゥエン

★☆☆
南関／南关 ナァングゥアン
泉城広場／泉城广场 チュゥエンチァァングゥアンチャアン
銀座商城／银座商城 インズゥオシャンチャン
済南恒隆広場／济南恒隆广场 ジイナァンハンロォングゥアンチャアン
泉城路／泉城路 チュゥエンチャァンルウ
芙蓉街関帝廟／芙蓉街关帝庙 フゥロォンジエグゥアンデイミャオ
旧徳王府／德王府 ダアワァンフウ
舜井街／舜井街 シュンジインジエ
護城河／护城河 フウチャアンハア
紅尚坊／红尚坊 ホォンシャンファン
将軍廟街／将军庙街 ジィアンジュンミィアオジエ
環城公園／环城公园 フゥアンチャアンゴォンユゥエン

済南旧城南関の地が再開発されて泉城広場となった

泉標は泉都済南のシンボル

銀座商城／银座商城 ★☆☆
yín zuò shāng chéng
ぎんざしょうじょう／インズゥオシャンチャン

　泉城広場の地下、広場と一体となったショッピングモールの銀座商城。高級ブランド、電化製品、日用品までをあつかう。この銀座商城を運営する魯商集団は、済南を中心に山東省全域で高級デパートからコンビニまで手がける。

済南恒隆広場／济南恒隆广场 ★☆☆
jǐ nán héng lóng guǎng chǎng
さいなんこうりゅうひろば／ジイナァンハンロオングゥアンチャアン

　かつての済南旧城南門の位置近く、泉城広場に隣接して立つ済南恒隆広場。2011年に開店した複合商業施設で、高級ブランド、ファッション、化粧品や日用品をあつかうショップ、世界各地の料理を出すレストラン、映画館などが入居する。地上7階、地下1階からなり、洗練された空間をもつ。

文化の発信地、百貨店

　呉服店、時計店、眼鏡店といった専門店が複数入居し、劇場、レストラン、庭園などの娯楽施設をそなえたデパート(百貨店)。済南では1931年、最初に「大観園商城」が済南旧城西の商埠地に現れた。その後、済南第一百貨商店、済南第二百貨商店、済南市人民商場、済南百貨大楼といった百貨店が生まれている。また1994〜97年のあいだに、済南華聯商厦(1981年設立の西市商場を前身とする)が商埠地に、泉城広場に銀座商城が進出し、2011年に済南恒隆広場が開店した。

Bao Tu Quan

趵突泉鑑賞案内

北京の玉泉、鎮江の中冷泉、廬山の谷帘泉
とならんで天下に知られた済南の趵突泉
済南を代表する景勝地

趵突泉公園／趵突泉公园★★★
bào tū quán gōng yuán
ほうとつせんこうえん／バァオトゥチュウアンゴォンユゥエン

　春秋戦国時代に見える地名(済南)の「濼」は、趵突泉をさす
とされ、済南黎明期から知られた趵突泉。水質の良さ、甘美
さ、この水でたてたお茶の香りや旨さから、「天下第一泉」と
謳われ、宋の曾鞏は「斉多甘泉、冠于天下(済南には甘美な泉が多
く、それらは天下最高のもの)」とたたえた。唐代の玄宗時代から
の伝統をもつ趵突泉元宵灯会は済南の風俗として知られ、
趵突泉そばにあった呂祖廟(濼源堂)は済南でもっとも人が
集まる場所だった。趵突泉を中心に北に「濼源堂」、南に「長
廊」、西に「観瀾亭」が位置し、明代の山東巡撫胡纘宗が記し
た趵突泉の石碑も見える。清朝の康熙帝や乾隆帝が南巡に
あたって訪れるなど、歴代皇帝からも愛され、済南を象徴す
る景勝地となっていた。1956年、同じ敷地内に湧く金線泉、
漱玉泉、柳絮泉、馬跑泉などをふくむ趵突泉公園として整備
され、大明湖、五龍潭とともに天下第一泉景区を形成する。

趵突泉を訪れた皇帝、文人

　乾いた大地の続く華北にあって、泉が湧き、緑豊かな済南
は、皇帝や文人たちに愛されてきた。唐宋八大家のひとり曾

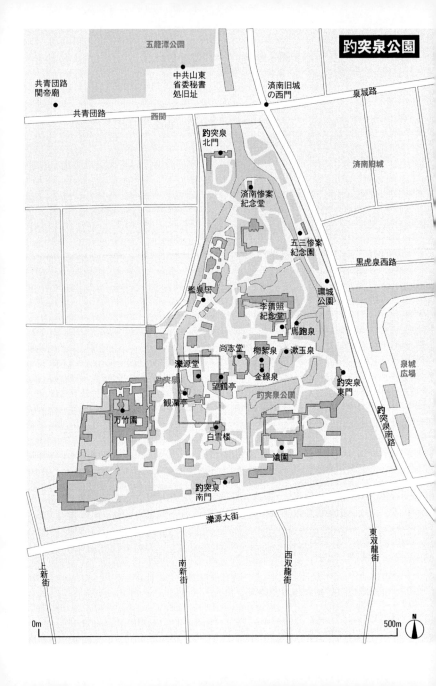

趵突泉公園

五龍潭公園

共青団路
関帝廟

中共山東
省委秘書
処旧址

済南旧城
の西門

泉城路

共青団路

西関

済南旧城

趵突泉
北門

済南惨案
紀念堂

五三惨案
紀念園

黒虎泉西路

環城
公園

鑑泉居

李清照
紀念堂

馬跑泉

尚志堂
柳絮泉

漱玉泉

濼源堂

趵突泉

金線泉

泉城
広場

望鶴亭

観瀾亭

趵突泉公園

趵突泉
東門

万竹園

趵突泉
南路

白雪楼

滄園

趵突泉
南門

濼源大街

上新街

南新街

西双龍街

東双龍街

0m

500m

N

鞏(1019～83年)が斉州知州(済南知事)時代に趵突泉とその周囲を整備し、同時代の1077年、蘇東坡は密州から徐州への任地替えのとき、趵突泉を訪れ、『至済南李公』という詩を詠んでいる。時代はくだって清朝時代、北京の皇帝は南巡(江南方面への民情視察)にあたって、済南にしばしば立ち寄った。清朝第4代康熙帝(在位1661～1722年)は、1684年に済南趵突泉を訪れ、続いて1689年、趵突泉と珍珠泉に滞在し、1703年には清巡撫院署大堂のある巡撫公署に行宮をおいた。また第6代乾隆帝(在位1735～95年)は、1748年、1771年に済南に訪れ、趵突泉の水で、お茶を飲んでいる。

★★★
趵突泉公園／趵突泉公园バァオトゥチュゥアンゴォンユゥエン
趵突泉／趵突泉バァオトゥチュゥアン

★★☆
濼源堂／泺源堂ルゥオユゥエンタァン
観瀾亭／観瀾亭グゥアンラァンティン
済南旧城／济南旧城ジィナァンジゥウチァアン
西関／西关シイグゥアン

★☆☆
泉城広場／泉城广场 チュゥエンチァァングゥアンチャアン
望鶴亭／望鹤亭 ワァンハアティン
漱玉泉／漱玉泉 シュゥユゥチュゥアン
李清照紀念堂／李清照纪念堂 リイチィンチャオジイニィエンタァン
白雪楼／白雪楼 バァイシュエロォウ
尚志堂／尚志堂 シャンチイタァン
万竹園／万竹园 ワァンチュウユゥエン
滄園／沧园 ツアンユゥエン
五三惨案紀念園／五三惨案纪念园 ウゥサァンツァンアンジイニィエンユゥエン
環城公園／环城公园 フゥアンチャアンゴォンユゥエン
泉城路／泉城路 チュゥエンチャアンルゥ
五龍潭公園／五龙潭公园 ウゥロォンタァンゴォンユゥエン
中共山東省秘書処旧址／中共山东省委秘书处旧址 チョンゴォンシャンドォンシェンウェイミイシゥチゥウジィウチイ
共青団路関帝廟／共青团路关帝庙 ゴォンチィントゥアンルゥグゥアンディイミィアオ

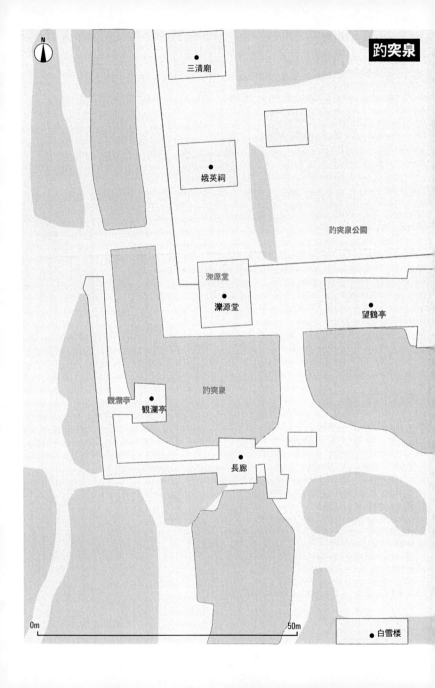

趵突泉

N

三清廟

娥英祠

趵突泉公園

濼源堂
濼源堂

望鶴亭

観瀾亭
観瀾亭

趵突泉

長廊

0m   50m

白雪楼

趵突泉／趵突泉★★★
bào tū quán
ほうとつせん／バァオトゥチュウアン

　趵突泉は200万年前の地層の断裂で形成され、殷周時代は
「濼」と呼ばれて、街そのものを指した(泉の湧く場所、濼水の水源
だった)。18度前後の水温で、3つの泉がわき出し、噴出量は
毎秒1リットルとも、1.6リットルとも言われる。水量が多い
ときには50cmほど盛りあがり、趵突泉という名称は、泉の
わき出す音を表したものだという(宋代ごろまでは直径数m、高さ
10m近く吹きあげていたと伝えられる)。かつては飲料水として利
用され、この泉の水を使ったお茶は皇帝にも好まれた。現在
は、東西30m、南北20m、深さ2.2mの直方体の泉の周囲を、石
の欄干がめぐらせてある。

濼源堂／泺源堂★★☆
luò yuán táng
らくげんどう／ルゥオユゥエンタァン

　趵突泉の北側に立ち、赤色の柱、黄色の瑠璃瓦のたたずま
いを見せる濼源堂。北宋の曾鞏が斉州知州(1072～73年)時代
に建てた、帝王舜のふたりの妃(娥皇と女英)をまつる娥英祠
をはじまりとする。元代には仙人呂洞賓をまつる呂祖廟に
なり、以来、済南でもっとも人々が集まる場所として知られ
てきた。現在の濼源堂は明清時代に整備されたもので、趵突
泉にのぞむように濼源堂、娥英祠、三清廟の三大殿が中軸線

★★★
趵突泉公園／趵突泉公园 バァオトゥチュウアンゴォンユゥエン
趵突泉／趵突泉 バァオトゥチュウアン
★★☆
濼源堂／泺源堂 ルゥオユゥエンタァン
観瀾亭／观澜亭 グゥアンラァンティン
★☆☆
望鶴亭／望鹤亭 ワァンハアティン
白雪楼／白雪楼 バァイシュエロォウ

に続く。

観瀾亭／観瀾亭★★☆
guān lán tíng
かんらんてい／グゥアンラァンティン

　趵突泉を西側から望む絶好の位置に立つ観瀾亭。宋代、この地に檻泉亭があり、明代の1461年、欽差大臣を済南に迎えるにあたって、済南知府が檻泉亭跡に新たに観瀾亭を築いた。観瀾亭という名前は、朱熹の『四書集注』にある「観水有術、必観其瀾」からとられた。開放的な四角形プランの亭は、黄色の瑠璃瓦を載せる。

望鶴亭／望鶴亭★☆☆
wàng hè tíng
ぼうかくてい／ワンハアティン

　趵突泉の東側にかかる来鶴橋の北東に立つ望鶴亭。清朝乾隆帝(在位1735〜95年)が南巡にあたって、ここで趵突泉の水を使ったお茶を飲んだと伝えられる。

趵突泉泉群／趵突泉泉群★☆☆
bào tū quán quán qún
ほうとつせんせんぐん／バァオトゥチュゥアンチュゥアンチュン

　済南旧城中央の珍珠泉泉群、南東隅の黒虎泉泉群、西側の五龍潭泉群と、済南各所から湧き出す泉群のなかでも趵突泉泉群はその代表格にあげられる。天下第一泉の「趵突泉」はじめ、長さ2m、幅1m、深さ1.2mとこぶりながら済南を代表する72泉のひとつの「金線泉」(底にふたつの泉があり、湧き出す力が釣り合っているため、金の線が現れるという)、同じく72の泉のひとつにあげられる「柳絮泉」、李清照ゆかりの「漱玉泉」、趵突泉景区の東側に涌く「馬跑泉」などが趵突泉泉群を構成する。

済南に来た人が必ずと言っていいほど訪れる趵突泉

エメラルドの美しい泉、「趵突泉」の文言が見える

趵突泉に遊ぶ人たち、かつては呂洞賓をまつる呂祖廟に人びとは集まった

漱玉泉／漱玉泉 ★☆☆
shù yù quán
そうぎょくせん／シュウユウチュウアン

　李清照故居のそばに湧く、長さ4.8m、幅3.1m、深さ2mの漱玉泉。済南の72の泉のうちのひとつで、漱玉泉という名前は、『世説新語』の「漱石枕流（屁理屈を述べて負け惜しみの強いことを意味する）」からとられた。宋代の女流詩人李清照が近くに暮らし、この泉を鏡代わりにして身づくろいをしていたという。李清照の詩集『漱玉詞』はこの泉に由来する。

李清照紀念堂／李清照纪念堂 ★☆☆
lǐ qīng zhào jì niàn táng
りせいしょうきねんどう／リイチンチャオジイニィエンタァン

　李清照（1084～1151?年）は北宋の終わりから南宋初期にかけて詩を残した女流詩人（女性の活躍する機会の少なかった封建社会にあって、中国を代表する閨秀詞人と知られる）。李清照は『洛陽名園記』の著者李格非の娘として、歴城（済南）の南西、柳絮泉のほとりで生まれた。18歳のとき、当時大学生の趙明誠と結婚し、夫の趙明誠とともに済南の趵突泉近くで暮らし、夫の書画、骨董、文物の収集と整理を助けた（趙明誠は『金石録』を編纂した金石学者となった）。ふたりは「某事は何の書の何巻、何行目にあるか、あてっこしよう」「あなたが言いあてたら先にお茶をお飲みなさい。私があてたら、先に飲みます」と遊んだという。この場所には、清代山東巡撫の丁宝禎の祠堂があったが、1959年、宋代の建築様式をもちいて李清照紀念堂が建てられた。李清照の像が立ち、印璽や石刻など金属や石に刻まれた、二千種（夏殷周から五代まで）の金石の拓本などが展示されている。

詞と李清照

　中国の文学は、詩経、楚辞から漢文、唐詩へと遷っていき、

五言詩、七言詩、絶句や律詩といった諸形式が唐詩で完成した。唐代、西域の音楽の影響を受けたことで、中国文学にそれまでの「詩」とは異なる音楽にあわせた「詞」が生まれた。唐に続く宋代、歌曲（メロディ）にあわせて五音、五声、六律、清濁、軽重の長短の句の組み合わせや韻をふんだ「宋詞（歌辞文芸）」が盛んになった。李清照（1084〜1151?年）は、蘇東坡の門下の李格非を父に、金石学者の趙明誠を夫にもつ文学的気風の濃いなかで生まれ、そして暮らした（済南は風光明媚な景色をもつことから、文人に好まれた）。李清照は「冷冷清清」というように畳字を効果的に使い、男性の李後主、女性の李清照と言われる「詞」の名手だった。金軍の侵攻で済南から江南（南宋）へと逃れ、そのとき、車15台分の文物を南京に運んだと伝えられる。この混乱期に夫と死別、南方流寓のなかで生命を落とした。

白雪楼／白雪楼★☆☆
bái xuě lóu
はくせつろう／バァイシュエロォウ

　明代の文人李攀龍（1514〜70年）ゆかりの白雪楼。陝西省の按察使だった李攀龍は、病を理由に故郷の済南に戻ってきて、白雪楼を建てた。「文は秦漢、詩は盛唐」と主張し、その文学は明代に高い評価を受け、明末から清初には批判にさらされた。李攀龍は日本でも親しまれた『唐詩選』の編者だとされ、またそれは偽書（李攀龍が編者ではない）だとする説もある。現在の白雪楼は1996年に再建されたもので、長さ6m、幅12mの戯台をもつ2層の建物となっている。

尚志堂／尚志堂★☆☆
shàng zhì táng
しょうしどう／シャンチイタァン

　趵突泉の北側に立つ書院の尚志堂。唐代からこのあたりには書院があったとされ、尚志堂は清代の1869年に建てら

れた。春は玉蘭、丁香、夏は睡蓮、月李、秋は桂花、菊花、冬は
臘梅というように四季折々に咲く花が見られる。

万竹園／万竹园★☆☆
wàn zhú yuán

まんちくえん／ワンチュウユユエン

　　趵突泉公園の西側に位置し、「園中園」と呼ばれる万竹
園。西青龍街のこの地には元代ごろから庭園があり、明代の
1570年に、内閣大学士の察黎民が済南に帰ってきたとき、
「通楽園」と命名した。精緻な木の彫刻、石彫が配置され、北
京の王府、江南の庭園様式をあわせもつ。2層からなる「玉蘭
院」や、山東省の農民出身の画家の「李苦禅(1899〜1983年)紀
念館」が位置する。

滄園／沧园★☆☆
cāng yuán

そうえん／ツアンユゥエン

　　趵突泉の東南側に位置する滄園。済南出身の明代の文人、
李攀龍(1514〜70年)が幼年時代にここで読書したと伝えられ
る(明代の歴山書院がこのあたりにあった)。現在は済南ゆかりの画
家の王雪涛紀念館として開館している。

済南／黄河と泰山はざまの「山東省都」

李清照がかつてこのあたりで暮らした、趵突泉泉群

趵突泉公園のなかにいくつもの景勝地が点在する

「園中園」と呼ばれる万竹園の李苦禅紀念館

旧城中心城市案内

明清時代より山東省の省都がおかれた済南
済南旧城の中心には、芙蓉街、曲水亭街などの
魅力的な通りが何本も走る

済南旧城／済南旧城★★☆
jǐ nán jiù chéng
さいなんきゅうじょう／ジイナァンジィウチァアン

　西晋永嘉年間(307～312年)に済南(という地名の街)は現在の地に遷され、唐代、宋代と商業都市として発展した。当初の済南旧城は土壁に囲まれていたが、明代の1371年に石の城壁と現在の街区になった。かつての済南旧城は明代の内城とその周囲をおおう清代の外城からなり、内城の3分の1を大明湖が占めた。当時は周囲6kmの城壁が走り、旧城壁にそって残る外濠(護城河)は街のいたるところから湧く泉を水源とする。この旧城(内城)の東西南北には、濼源門(西門)、歴山門(南門)、斉川門(東門)、匯波門(北門)があり、清朝末期に新たに4つの門が追加された。「南柴、北菜、東麦、西米」と言われ、済南旧城は黄河の沖積平野に育まれた豊かな物産の集散地であった。芙蓉街、泉城路などが済南旧城の繁華街として知られている。

泉城路／泉城路★☆☆
quán chéng lù
せんじょうろ／チュウエンチァンルウ

　済南旧城(泉城)の東西を走る大動脈で、「金街」とも呼ばれる泉城路。乾隆帝時代から続く「隆祥布店」はじめ、「恒大銀

旧城中心

丹坊
(南門)

大明湖

大明湖路

黄院墻根街

曲水亭街

百花洲

後宰門
教堂

後宰門街

済南府
学文廟

県西巷

曲水亭街

旧徳王府

芙蓉街
関帝廟

珍珠泉

清巡撫院
署大堂

済南旧城

省府前街

紅尚坊

芙蓉街

旧徳
王府

芙蓉街

泰府
広場

泉城路

済南
恒隆広場

貴和
購物中心

天地壇街

舜井街

黒虎泉西路

護城河

泉城
広場

環城
公園

0m

500m

N

号」「瑞蚨祥」「宏済堂」「東方書社」「京大銀号」といった老舗が店舗を構え、済南でもっとも商店が集中する場所だった(1930年代にはここに2、3階建ての建物がならんだ)。かつては済南の衙門(役所)を中心に西門大街、院西大街、院東大街、府東大街とわかれていたが、これらの通りをあわせて1965年、泉城路と改名された。現在は幅50m、全長1560mの通りとなっていて、周囲には恒隆広場、泰府広場などの大型店舗が店を構える。

芙蓉街／芙蓉街★★★
fú róng jiē
ふようがい／フウロォンジエ

済南旧城の中心を南北に走る幅4.6m、長さ432mの芙蓉街。明清時代から、文人や商人、庶民が集まる済南屈指の繁華街だった。明代の1600年、近くの芙蓉泉から流れる渓流(梯雲渓)にそって道ができ、この渓流の西側に人びとが暮らしはじめて、江南のような趣をしていた。清朝初期に、「騰

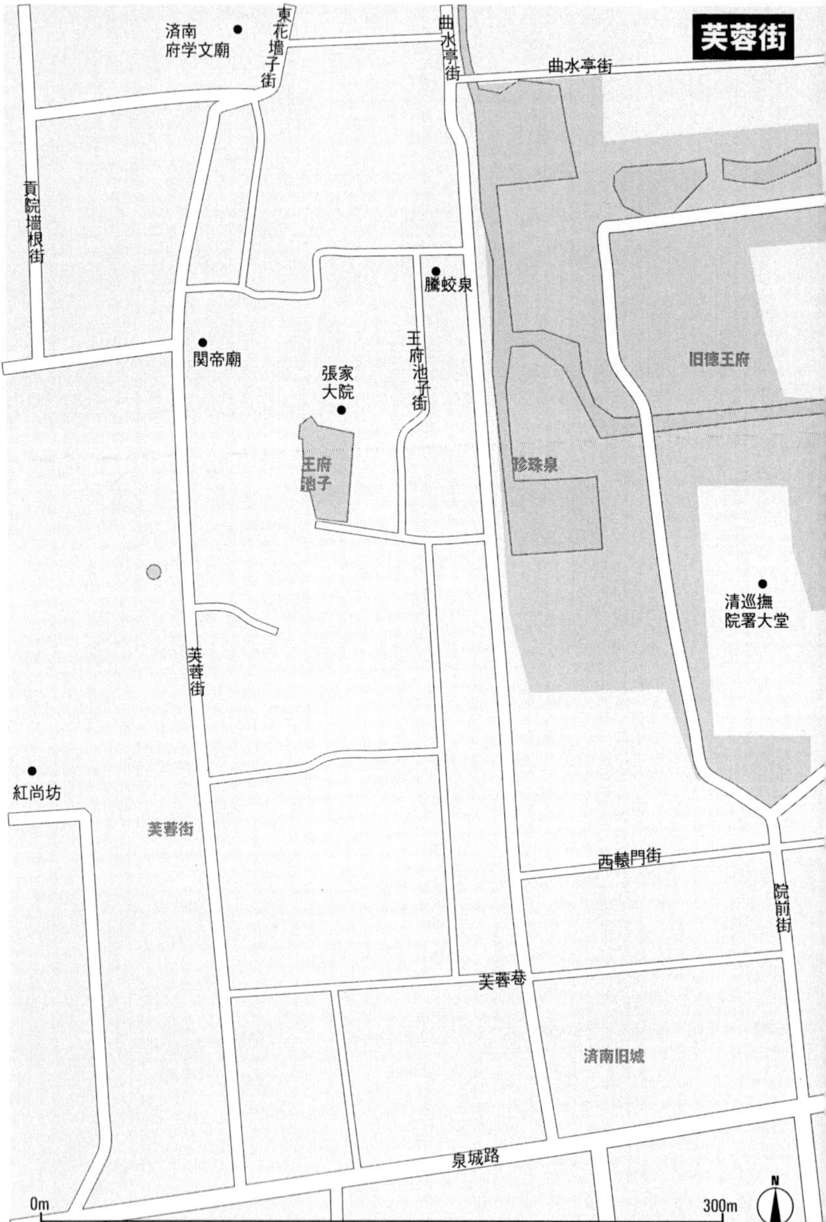
芙蓉街
済南府学文廟
東花墻子街
曲水亭街
曲水亭街
貢院墻根街
騰蛟泉
王府池子街
関帝廟
張家大院
王府池子
旧徳王府
珍珠泉
清巡撫院署大堂
芙蓉街
紅尚坊
芙蓉街
西轅門街
院前街
芙蓉巷
済南旧城
泉城路
0m
300m
N

蛟起鳳」と記された牌楼が建てられ、康煕帝(在位1661～1722年)時代になると人や店舗が集まり、芙蓉街はにぎわいを見せた。清朝末期の1862年に章丘孟家が呉服店の「瑞蚨祥」を、1872年に済南で最初の眼鏡店「一珊号」が開業したことをはじめ、百貨店の「文升祥」、靴と帽子の「宏升斎」、絹布の「恒祥興」、染色の「聚蚨祥」、時計の「宝善斎」、写真館の「容芳館」、山東料理の「燕喜堂」などの老舗が芙蓉街にずらりと軒を連ねた(銭行、ファッション、医薬品店が集まった)。芙蓉街の店舗は、1956年以降に改築、改装が進み、小吃店や飲食店がならぶ通りへと変貌をとげ、その周囲には府学文廟や曲水亭街が位置する。芙蓉街という名称は、近くに湧く芙蓉泉に由来する。

済南の工芸品

　地下の岩盤から地下水が噴出する済南では、カルシウム、マグネシウム、ミネラルなどの鉱物をふくんだ石材の「木魚石」が名産品として知られる。またもち米に小麦粉、顔料を加えてつくる飾りもの「面塑」や、紙とはさみで人、鳥獣、花、山川、楼閣などを表現した「剪紙」などの伝統工芸も盛んだった。

★★★
芙蓉街／芙蓉街 フウロォンジエ
曲水亭街／曲水亭街 チュウシュイティンジエ

★★☆
済南旧城／済南旧城 ジイナァンジィウチァアン

★☆☆
泉城路／泉城路 チュゥエンチァアンルウ
芙蓉街関帝廟／芙蓉街关帝庙 フウロォンジエグゥアンデイミャオ
済南府学文廟／济南府学文庙 ジイナァンフウシュエウェンミアオ
旧徳王府／徳王府 ダアワァンフウ
珍珠泉／珍珠泉 チェンチュウチュゥエン
清巡撫院署大堂／清巡抚院署大堂 チィンシュンフウユゥエンシュウダアタァン
王府池子／王府池子 ワァンフウチイズウ
紅尚坊／红尚坊 ホォンシャンファン

芙蓉街関帝廟／芙蓉街关帝庙★☆☆

fú róng jiē guān dì miào

ふようがいかんていびょう／フウロォンジエグゥアンデイミャオ

　　芙蓉街のなかほどに位置する『三国志』の英雄関羽をま
つった関帝廟。店舗が軒を連ねるこの通りにあって、関羽は
商売の神さま(財神)として信仰されている。済南ではあらゆ
る廟のうち関帝廟がもっとも多く、かつては30か所に関帝
廟があったという(宋代に創建された後宰門街の関帝廟はじめ、共青
団路、将軍廟街などでも関帝廟が見られた)。芙蓉街関帝廟は清代に
建てられ、2009年に修築された。大門からなかに入ると、関
羽をまつる大殿が位置する。

済南府学文廟／济南府学文庙★☆☆

jì nán fǔ xué wén miào

さいなんふがくぶんびょう／ジイナァンフウシュエウェンミィアオ

　　芙蓉街の北側に位置する学問の神さま孔子をまつった
府学文廟。宋の熙寧年間(1068〜77年)に済南太守の李常が建
て、以後、済南府の教育行政機関となり、孔子の祭祀が行な
われてきた(元代の1346年に再建されたあと、破壊をこうむり、明代の
1369年に改建、1483年に拡張された)。明代には、大明湖公園にま
で敷地が広がっていて、南北400m、東西60mの規模だった
が、現在は南北246m、東西66mとなっている。目隠しにあた
る「照壁」、済南でもっとも古いという石の状元橋がかかる
「泮池」、廟の入口となる「大成門」、続いて「欞星門」、孔子像
を安置する「大成殿」が中軸線上に展開する。これらの建物
は宋代の様式をもち、屋根は皇帝にのみ使用の許された黄
色の琉璃瓦でふかれている。済南には、済南府の府学ととも
に、歴城県の県学も位置したため、ふたつの孔子廟が城内に
あったが、清朝末期に科挙がなくなると、この府学文廟は衰
退していった。1949年の新中国設立後、小学校の校舎にな
ることもあったが、2005年から再建が進み、現在にいたる。

店舗がならぶ芙蓉街、済南は美食の街でもある

昔の済南旧城と今の済南がここで出合う

芙蓉街のにぎわい、明清時代から続く済南の繁華街

三国志の関羽をまつる芙蓉街関帝廟

旧徳王府／徳王府 ★☆☆

dé wáng fǔ

きゅうとくおうふ／ダアワンフウ

　泉城路から後宰門街、県西巷、芙蓉街に囲まれた地域にあった旧徳王府(徳藩故宮)は、済南を統治する為政者が拠点としたところ。13世紀の金末元初には済南府弟がここにあり、元代、済南公張栄が珍珠泉の湧くこの地を整備した。明代、第6代英宗帝の妾の第二子朱見潾は、当初、山東省徳州に封ぜられたが、やがて1467年、済南に遷ってきた(そこから徳王と、徳王府の名前がある)。この徳王こと朱見潾が、敷地内に珍珠泉、大殿の承運殿、後殿の存心殿を中心とした楼閣、亭、泉、庭園からなる徳王府を整備し、その規模は済南旧城の3分の1をしめたという。また朱見潾は文人として誉れ高く、人々に愛されて、「賢端王」と称された。明清交替期の1639年、清朝兵が済南を陥落させたとき、徳王府の大部分が破壊されたが、その後、清朝順治帝時代に山東巡撫周有徳が徳王府跡に巡撫署を建て、ここで山東巡撫が政務をとった。1911年の辛亥革命後も、旧徳王府に省政府がおかれ、督軍公署があったが(張宗昌や蒋介石が拠点とした)、1937年に日中戦争が勃発すると、済南の軍人韓復榘が督軍公署を放火して逃れた。現在も政府機関が位置し、済南の「風水宝地」として、街の中心となっている。

珍珠泉／珍珠泉 ★☆☆

zhēn zhū quán

ちんじゅせん／チェンチュウチュウエン

　済南旧城の中央、旧徳王府内に位置する珍珠泉は、済南72泉のなかでも趵突泉に準ずる格式を誇る。長さ42m、幅29mで周囲に漢白玉の欄干をめぐらせ、泉のほとりには楊柳がたれかかっている。元代初期、済南公の張宏が白雲楼を建て、明代の徳王はそれを白雲亭として整備した(白居易の『琵琶行』の句碑が立つ)。清代に入ると、南巡してきた北京の皇帝の

康熙帝や乾隆帝が珍珠泉に行宮をおいた。あたりの王府池子、芙蓉泉とともに、珍珠泉泉群を形成する。

清巡撫院署大堂／清巡抚院署大堂★☆☆

qīng xún fǔ yuàn shǔ dà táng

しんじゅんぶいんしょだいどう／チィンシュンフウユゥエンシュウダアタァン

珍珠泉のそば、徳王府跡に立つ清巡撫院署大堂。1639年、徳王府は清軍に破壊されたのち、1666年に清朝山東巡撫の周有徳が、徳王府承運殿を清巡撫院署の衙門として再建した(これが清巡撫院署大堂で、済南珍珠泉大院ともいう)。この大堂を建てるにあたって、青州の明衡王府大殿から材料を運んできた。幅31.7m、奥行き21.5mの建物は、赤い柱の立つ五間のファザードをもち、山東巡撫がここで政治を行なっていた。

山東巡撫とは

山東省の政治、軍事の要地であった済南は、明代からの省都で、承宣布政使司がおかれていた。続く清朝、山東省を実質的に統治する巡撫がいて、2〜3省を統括する「総督」に対して、「巡撫」はひとつの省に責任をもった(西隣りの直隷省＝河北省には直隷総督がいたが、山東省には総督がおらず、北京の皇帝権力も直接およんだ)。山東巡撫が拠点をおいたのが、旧徳王府にあたる山東巡撫衙門で、黄河氾濫の処理や税務をはじめとする政務にあたった。1899年に山東巡撫となった毓賢は、義和団を公認してとりしまらず、その後、袁世凱(1859〜1916年)が山東巡撫に任命された。袁世凱はこの山東巡撫時代に義和団を鎮圧するなどして力をつけ、李鴻章に代わって直隷総督(北洋大臣)に任命された(その後の辛亥革命後にいったん帝位につくほど力をもった)。

甘酢をかけた鯉の唐揚げ糖醋鯉魚(タンツーリーユイ)は済南の名菜

街のいたるところから泉が湧き出す

華北にありながら江南のような街並みの曲水亭街

古い時代の済南の面影を残す後宰門街

後宰門街／后宰门街★☆☆
hòu zǎi mén jiē
こうさいもんがい／ホゥザァイメンジエ

　済南旧城の中心に位置した旧徳王府の北側を東西に走る後宰門街。当初は徳王府北門を「厚裁門」といったが、済南の百姓が同音の「後宰門」と呼ぶようになり、それが定着した。路地の両脇に四合院建築が残り、長さ406m、幅4.6mの通りでは済南の昔ながらの街並みが見られる。キリスト教会の「後宰門教堂」、清朝末期の邸宅「田家公館」などが残る。

曲水亭街／曲水亭街★★★
qǔ shuǐ tíng jiē
きょくすいていがい／チュウシュイティンジエ

　済南旧城を流れる渓流のほとり、長さ530m、幅2.8mほどの曲水亭街。北魏ごろには済南の士大夫が、曲水流杯を楽しんだとされ、近くに曲水亭があったことからこの名前がつけられた(かつて東側に関帝廟があり、1958年に曲水亭が整備された)。「家家泉水、戸戸垂楊」とたたえられた老済南のたたずまいとともに、清代詩人の王初道が『済南竹枝詞』で詠った、石橋のかかる様子、江南のような趣が見られる。現在、曲水亭街では四合院建築を利用した店舗やカフェがならぶ(曲水亭街あたりは潜水が流れていて、珍珠泉と王府池の流れをあわせて、北側の百花洲、そして大明湖へいたる)。

王府池子／王府池子★☆☆
wáng fǔ chí zǐ
おうふちし／ワンフウチイズウ

　珍珠泉のそば、近くで湧き出す騰蛟泉とともに珍珠泉群を構成する王府池子。唐宋時代からの景勝地で、南北30m、東西20m、深さ2mほどの池の周囲を、大理石の欄干がめぐっている(古くは「作灰泉」と呼ばれていた)。王府池子の北側には、1369年にこの地に移住してきた張家の「張家大院」が立

ち、その後の明代には徳王府の敷地となった。

済南／黄河と泰山はざまの「山東省都」

Da Ming Hu
大明湖鑑賞案内

泉城済南の豊富な地下水を集めた大明湖
雨が降らずとも枯れることはない
優美な景勝地で、多くの文人に愛されてきた

大明湖風景区／大明湖风景区★★★
dà míng hú fēng jǐng qū
だいみんこふうけいく／ダアミィンフウフェンジィンチュウ

　済南旧城の約3分の1をしめ、趵突泉、千仏山とともに済南三大名勝のひとつの大明湖風景区。済南の地下から湧き出した市内中の泉が流れこんで周囲5kmの湖をつくり、「園中湖」とも「城中湖」ともたたえられる。宋の曽鞏、蘇東坡をはじめとする文人に愛され、宋代以後、しばしば文学にとりあげられてきた。広大な風景区には、李白や杜甫ゆかりの「歴下亭」、道教寺院の「北極閣」など、元代から清代にかけて建てられた楼閣、水辺にかかる橋の七橋風月（鵲華、百花、芙蓉、水西、湖西、北池、濼源）などの景勝地が点在する。20世紀初頭には荒廃していたが、新中国成立後の1958年に整備され、現在は湖をゆく浮船、また水面に浮かぶ蓮花が見える。蓮は済南の市花でもあり、旧暦6月には大明湖の蓮は満開になる（済南の人は、蓮を食する）。

丹坊／丹坊★☆☆
dān fāng
たんぼう／ダァンファン

　丹坊は大明湖風景区の正門（南門）にあたり、この丹坊が日に照らされる「丹坊耀日」は、大明湖を代表する光景として

大明湖風景区

北門　明湖北路　東門
明湖宝鼎　北極閣　匯波楼
鉄公祠　　南豊祠
黒虎泉北路
大明湖
大明湖南西
歴下亭　秋柳園　超然楼
辛稼軒紀念祠　遐園
明湖居　玉斌府　大明湖路
丹坊（南門）
0km　　1km　　済南旧城

大明湖南西

大明湖
湖心亭
扇面亭　歴下亭
辛稼軒紀念祠
藕香榭
遐園
図書館分館
大明湖路
丹坊（南門）
百花洲

知られる。赤の柱、黄色の屋根瓦を載せる五間牌楼で、高さ8.38m、幅14.7mになる。もともと大明湖南の済南府学文廟にあったが、1952年にこちらに遷された。牌坊の西側には、1811年に刻まれた石碑が残る。

大明湖／大明湖★★★
dà ming hú
だいみんこ／ダアミィンフウ

済南に湧出する泉水を集めて、形成された巨大な大明湖。大明湖に関する記述は、北魏(386〜534年)時代の『水経注』のなかに、湖のそばにあった大明寺とともに見える。隋唐以前の大明湖は、今の五龍潭のあたり(西側)にあり、北宋当初には西湖と呼ばれていた。やがて北宋の曾鞏(1019〜83年)が済南の太守となると、大明湖の北門が整備され、水量が安定し、楼閣や亭が建てられて遊覧地になった(北の水門で、水量を調整し、水が多いときは小清河へ流した)。金代に大明湖と改称され、続く元代に済南城が再建されたときに現在の姿になっ

★★★
大明湖風景区／大明湖风景区 ダアミィンフウフェンジィンチュウ
大明湖／大明湖 ダアミィンフウ

★★☆
歴下亭／历下亭 リイシィアティン
済南旧城／济南旧城 ジイナァンジゥチァアン

★☆☆
丹坊／丹坊 ダンファン
超然楼／超然楼 チャオラァンロウ
南豊祠／南丰祠 ナァンフェンツウ
匯波楼／汇波楼 フゥイボオロォウ
北極閣／北极阁 ベェイジイガア
明湖宝鼎／明湖宝鼎 ミィンフウバァオディン
鉄公祠／铁公祠 ティエゴォンツウ
遐園／遐园 シィアユゥエン
辛稼軒紀念祠／辛稼轩纪念祠 シィンジィアシュゥアンジイニィエンツウ
秋柳園／秋柳园 チィウリィウユゥエン
玉斌府／玉斌府 ユゥビィンフウ
明湖居／明湖居 ミィンフウジゥ
大明湖路／大明湖路 ダアミィンフウルウ

た。秋の月を鑑賞する「明湖秋月」が知られるほか、大明湖は済南の人びとにとって夏の暑さを避ける格好の地となっていて、ここに生息する明湖菜(蒲菜)と呼ばれる済南料理も食されてきた。昔は北岸の城壁の下あたりに茅葺きの小屋があり、100戸ほどの湖民が漁労をして暮らしていたという。

歴下亭／历下亭★★☆
lì xià tíng
れきかてい／リイシィアティン

　大明湖中央に浮かぶ島に立つ歴下亭(古歴亭)は、杜甫や李白らの詩人や文人が酒をくみかわしたところと伝えられる。杜甫(712〜770年)は科挙に合格する以前の20代後半から30代前半に山東を遍歴し、745年、北海大守の李邕の宴席で、『陪李北海宴歴下亭』という五言律詩を即興でつくった(北海大守は青州を拠点とした)。そのなかの「海右此亭古、済南名士多(済南には名士が多い)」という文言が、とくに済南の人びとに親しまれてきた。唐代の歴下亭は、千仏山の台上にあり、北宋時代になって大明湖湖畔に遷された。その後、湖中の島に遷り、八角形のプラン、紅の柱をもつ現在の歴下亭は、1693年に重建された。

遐園／遐园★☆☆
xiá yuán
かえん／シィアユゥエン

　大明湖南岸、湖面にのぞむように位置する美しい庭園の遐園。「母金玉爾音、而有遐心」(『詩経・小雅』)からその名がとられ、この庭園で聴く水鳥の羽ばたきや自然の音は「遐園好音」として知られる。かつてここには明代の洪武帝年間に建てられた貢院(科挙の試験場)があり、官吏を目指す受験生が集まった。1909年、提学使の羅順循がこの貢院の一部を改造して、図書館にし、書や金石の収集が行なわれた。この図書館は、浙江省寧波の天一閣(中国で現存する最古の図書館)を模し

蓮の花が湖面を彩る美しい景色

宋代の済南太守曾鞏によって建てられた匯波楼、大明湖の水量を調整する

大明湖中から見える超然楼のたたずまい

北極閣にまつられた真武大帝

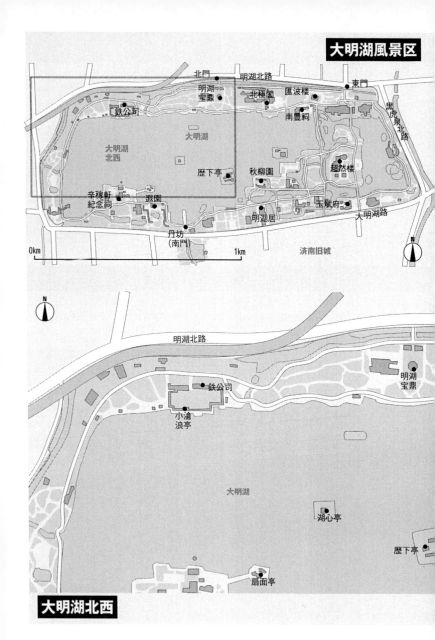

た建築で、山東省図書館の前身でもある。現在は山東省図書
館大明湖分館となっている。

辛稼軒紀念祠／辛稼轩纪念祠★☆☆
xīn jià xuān jì niàn cí
しんかけんきねんし／シィンジィアシュウアンジイニィエンツウ

　愛国詩人の辛棄疾(1140〜1207年)をまつった辛稼軒紀念
祠。辛棄疾は済南で、代々、官吏の家に生まれたが、当時の済
南は北方民族の金の統治下だった。1161年、漢民族の主権
の回復を目指して武装蜂起したが失敗し、南宋へ逃れた(南
宋で対金政策の強硬派となった)。もともとこの場所には1904年
に建てられた清朝末期の政治家、李鴻章の塑像があったが、
1961年に辛棄疾をまつることになった。辛稼軒紀念祠とい
う名称は、辛棄疾の号の「稼軒」に由来する(『稼軒詞』という詩集
を残している)。

★★★
大明湖風景区／大明湖风景区 ダアミンフウフェンジィンチュウ
大明湖／大明湖 ダアミンフウ

★★☆
歴下亭／历下亭 リイシィアティン
済南旧城／济南旧城 ジイナァンジィウチアン

★☆☆
明湖宝鼎／明湖宝鼎 ミィンフウバァオディン
鉄公司／铁公祠 ティエゴォンツウ
小滄浪亭／小沧浪亭 シィアオツァンラァンティン
北極閣／北极阁 ベェイジイガア
丹坊／丹坊 ダァンファン
超然楼／超然楼 チャオラァンロウ
南豊祠／南丰祠 ナァンフェンツウ
匯波楼／汇波楼 フゥイボオロォウ
遐園／遐园 シィアユゥエン
辛稼軒紀念祠／辛稼轩纪念祠 シィンジィアシュウアンジイニィエンツウ
秋柳園／秋柳园 チィウリィウユゥエン
玉斌府／玉斌府 ユゥビィンフウ
明湖居／明湖居 ミィンフウジゥ
大明湖路／大明湖路 ダアミィンフウルウ

明湖宝鼎／明湖宝鼎★☆☆
míng hú bǎo dǐng
めいこほうてい／ミンフウバァオディン

　大明湖北岸に安置されている巨大な鼎の明湖宝鼎。高さ2.3m、直径1.5m、重さ3500トンで、北宋時代の1093年に斉州知州となった晁補之（1053～1110年）の『北渚亭賦』の文言が刻まれている。その南側には幅25.8m、高さ6.2mの曾公画が位置する。

鉄公司／鉄公祠★☆☆
tiě gōng cíu
てつこうし／ティエゴォンツウ

　明の明代兵部尚書をつとめた鉄忠定公こと鉄鉉（1366～1402年）をまつる鉄公祠。1399年、南京の明朝第2代建文帝に対して、北京の燕王朱棣が反乱を起こし、自らが第3代永楽帝として即位した（靖難の変、1399～1402年）。この靖難の変のとき、済南を守っていた鉄鉉は、1400年、北京から南下して皇帝を簒奪しようとした朱棣（永楽帝）の燕軍と戦い、何度か撃退した。朱棣が永楽帝として即位すると、鉄鉉は処刑されたが、済南を守った鉄鉉は、のちに尊敬されるようになった。現在の鉄公祠は、1792年に山東塩運司の阿林保に重修されたもので、高さ2.3mの鉄鉉像が立つ。鉄鉉はイスラム教徒だったと伝えられる。

小滄浪亭／小沧浪亭★☆☆
xiǎo cāng láng tíng
しょうそうろうてい／シィアオツァンラァンティン

　大明湖の鉄公祠内に位置する小滄浪亭。山東塩運使の阿林保によるもので、1792年、蘇州にある滄浪亭（庭園）を意識して造営された（小滄浪亭という名称はそこに由来する）。また小滄浪亭そばは、南方の千仏山が大明湖に映える「仏山倒影」の見えるところでもある。

大明湖の周囲をとり囲むように亭や楼閣がめぐる

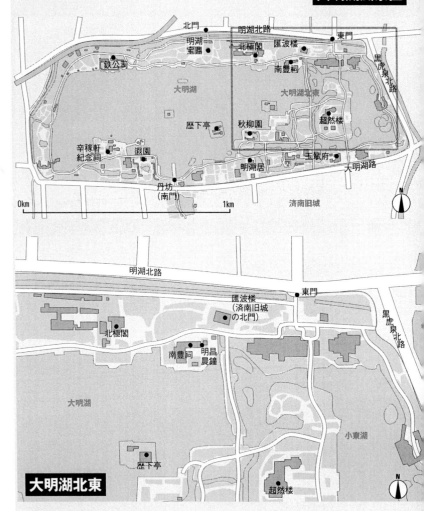

大明湖風景区

北門　明湖北路　東門
明湖宝邸　北極閣　匯波楼
鉄公祠　南豊祠
大明湖　黒虎泉北路
大明湖北東
歴下亭　秋柳園　超然楼
辛稼軒紀念祠　遐園
明湖居　玉斌府
丹坊（南門）　天明湖路
0km　1km　済南旧城
N

大明湖北東

明湖北路
匯波楼（済南旧城の北門）　東門
北極閣　黒虎泉北路
南豊祠　明昌晨鐘
大明湖　小東湖
歴下亭
超然楼
N

北極閣／北极阁★☆☆

bēi jí gé

ほっきょくかく／ベェイジイガア

　済南旧城の北側に隣接し、大明湖でもっとも高い場所に
立つ北極閣。元代の1280年に創建された道教寺院で、真武廟
ともいい、北斗七星をつかさどる玄武、真武大帝がまつられ
ている（北の空で微動だにしない北極星、北辰＝太一は、皇帝や最高神と
重ねられてきた）。正殿、後殿（啓聖殿）、鐘楼、鼓楼などがならび、
正殿には高さ2.5mの真武大帝の金像が安置されている。済
南の道教は金、元時代に発展し、明代、徳王によって北極閣
は整備、拡張された。

南豊祠／南丰祠★☆☆

nán fēng cí

なんぽうし／ナァンフェンツウ

　同時代のもっとも優れた文人にあげられる唐宋八大家の
ひとり曾鞏（1019〜83年）をまつる南豊祠。曾鞏は江南南豊の
人で、「生まれながらにして警敏、読書数百言」と言われた。

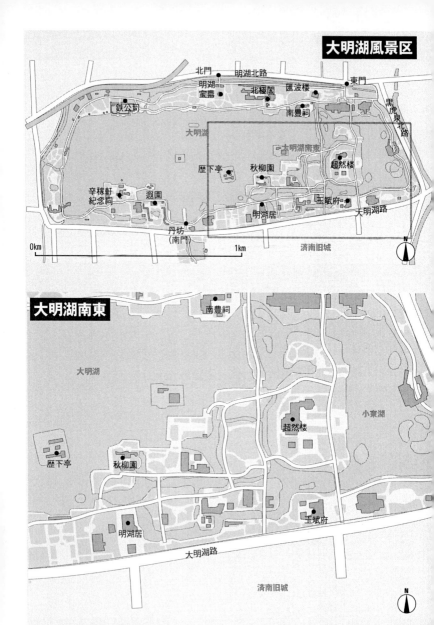

23歳のときに太学に入学し、やがて欧陽修に認められて名声を得るようになった。1072年に太守として済南に赴任し、長年、この地の人びとを苦しめてきた盗賊を退治し、人びとは戸を閉めず、遺物を拾わないでもよい社会をつくった(また王安石の保甲法を進めて、農民の負担を減らし、教育改革を進めた)。こうした施政から曾鞏は、今でも済南の人びとから尊敬され、この南豊祠には多くの人が訪れる。また近くに位置する「明昌晨鐘」は、大明湖南岸にあった仏教寺院(元代に康和尚院、明初期に鎮安院または鐘楼寺といった)の鐘がこの地に遷されたもの。

匯波楼／汇波楼 ★☆☆
hui bō lóu
かいはろう／フゥイボオロォウ

北宋時代の1072年、済南太守の曾鞏によって建てられた匯波楼。曾鞏は大明湖の北岸を修築して水門(匯波楼)を整備し、湖水の量を調節することで、水患をなくす方策をとった(また曾鞏は、楽源堂なども修築している)。済南旧城の北門も兼ね

大明湖は趵突泉、千仏山とならぶ済南屈指の景勝地

たことから、元明時代の匯波楼は匯波門と呼ばれていた。現在の建物は1982年に重修され、高さ13.6m、2層からなる。夕日に照らされる匯波楼(「匯波晩照」)は、済南を代表する景色にあげられる。

超然楼／超然楼★☆☆
chāo rán lóu
ちょうぜんろう／チャオラァンロウ

大明湖の東側にそびえる高さ51.7mの超然楼。元代、山東省滕州出身の官吏の李洞(1274〜1332年)が建てた邸宅があった場所で、その後、2009年に再建された。済南の泉と園林文化(泉水之都)が紹介された「1層」、木彫りの彫刻が見られる「2層」、大明湖を見渡せる「3層」はじめ、上下7層からなる。大明湖でも一際、存在感があり、「超然致遠」は大明湖を代表する景色となっている。

秋柳園／秋柳园★☆☆
qiū liǔ yuán
しゅうりゅうえん／チィウリィウユゥエン

大明湖東南岸、豊かな緑に包まれた一角に残る王士禎(1634〜1711年)ゆかりの秋柳園。王士禎(漁洋山人)は済南府新城の名門出身で、清朝の刑部尚書にまで上り詰めた官吏。王士禎は17歳のときに童試に及第し、その後、郷試を受験するために省都済南を訪れ、大明湖の東北にあった水月禅寺で学問にはげんだ。やがて進士になり、24歳のときに済南を訪れ、そのとき郷試で集まっていた文士とともに大明湖のほとりで酒を飲み、湖畔の北渚亭で『秋柳』の詩を詠んだ。王士禎はじめてとなる詩『秋柳』は、明清交代期を描き、明を思慕する内容で、王士禎の存在を知らしめる出世作となった(屈原、王献之などを引き合いに出しながら、江南や、失われた王朝への憂愁を美しい韻や言葉で詠った)。王士禎を中心に集まった文人たちは秋柳詩社を結成し、秋柳園の名前はここに由来する。秋柳園

に人が集まるようになると、そこに向かう路地ができ、秋柳園街と名づけられた。「秋柳含煙」は済南を代表する光景のひとつ。

玉斌府／玉斌府 ★☆☆
yù bīn fú
ぎょくひんふ／ユウビィンフウ

大明湖の東門近くに位置する玉斌府。玉斌府は儀賓府にあたり、儀賓とは明代、宗室の王女の婿をさした(宗室の王女の婿がここに暮らした)。現在の建物は新たに再建されたもので、清朝末期の四合院様式となっていて、「玉斌府」の扁額がかかる。かつての済南旧城には、東西玉斌府街もあった。

明湖居／明湖居 ★☆☆
míng hú jū
めいこきょ／ミィンフウジウ

清朝末期、大明湖に集まった芸人たちがパフォーマンスをする舞台だった明湖居。済南では明代から清代にかけて曲芸が盛んに行なわれ、明湖居は清朝末期の1890年に建てられた。清朝末期の小説『老残游記』の第2回「明湖居聴書」は明湖居をテーマとするなど、劇や歌、芸の舞台として知られていた。また明湖居のほか、済南では城隍廟、東岳廟、関帝廟などの廟会で演劇が行なわれた。

Jiu Cheng Dong Fang
旧城東部城市案内

済南旧城の東門は明清時代から栄えていた場所
また城壁の東南角部には解放閣がそびえる
済南旧城東部に点在する景勝地

大明湖路／大明湖路★☆☆
dà míng hú lù
だいみんころ／ダアミィンフウルウ

　現在の大明湖路はかつて東門大街と呼ばれ、済南旧城の
斉川門(東門)とその外側の東関に通じていた。明清時代、南
関とならんで済南旧城を代表する繁華街であり、多くの住
民が暮らし、商業も盛んで、集まった芸人が人びとを楽しま
せた(大明湖が公園として整備される以前は、この通りの北側にも四合院
住宅がならんでいた)。清朝末期、アメリカ人が東関に長老会堂
を建てるなどしたが、やがて商埠地の設置もあって、繁栄は
済南東関から西関に遷った。

督城隍廟／督城隍庙★☆☆
dū chéng huáng miào
とくじょうこうびょう／ドゥチャァンフゥアンミィアオ

　按察使街と東華街の交わる地点近くに残る都市の神さま
をまつった督城隍廟。省都の済南には、山東省の城隍廟、済
南府の城隍廟と、歴城県の城隍廟の３つがあり、督城隍廟が
もっとも格式の高いものだった。明代の1369年に建てられ
たのち、1460年に拡張され、東西42m、南北84mの敷地に三
進院の建物が続いた。この建築群は緑色の瑠璃瓦でふかれ、
照壁、山門、戯楼、大殿からなっていた。

旧城東部

歴下亭
大明湖
玉斌府
大明湖路
山大南路
東華街
督城隍廟
県西巷
県東巷
尹家巷
按察司街
黒虎泉北路
運署街
済南旧城
環城公園
旧徳王府
解放路
泉城路
天地壇街
舜井街
浙閩会館
済南城壁
解放閣
護城河
黒虎泉
太平街
泉城広場
濼源大街

0km
1km
N

舜井街／舜井街★☆☆

shùn jǐng jiē

しゅんせいがい／シュンジンジエ

　　伝説上の帝王である舜の井戸があったと伝えられる舜井街。舜は、済南南郊外の千仏山(歴山)で農業をしたといい、そのときここの水を使ったという(紀元前2000年以前ごろの話とされる)。現在も直径0.5mほどの小さな井戸が残り、周囲を石の欄干で囲まれている。明清時代は南門内(里)大街と呼ばれていた。

浙閩会館／浙闽会馆★☆☆

zhè mǐn huì guǎn

せつびんかいかん／チァアミィンフゥイグゥアン

　　済南旧城の南東側、黒虎泉西路に残る浙閩会館。会館はある地方出身者のための互助組織の役割を果たし、浙閩会館には浙江省(浙)と福建省(閩)出身の商人が集まった。清朝末期の1873年に建てられ、南北80m、東西30mで、済南に現存する最大の会館である(済南には山陝会館、江南会館、遼寧会館、湖広

★★★
大明湖／大明湖 ダアミィンフウ

★★☆
済南旧城／济南旧城 ジイナァンジゥウチァアン
解放閣／解放阁 ジエファンガア
黒虎泉／黑虎泉 ヘイフウチュウエン
歴下亭／历下亭 リイシィアティン

★☆☆
大明湖路／大明湖路 ダアミィンフウルウ
督城隍廟／督城隍庙 ドゥチャアンフウアンミィアオ
舜井街／舜井街 シュンジンジエ
浙閩会館／浙闽会馆 チァアミィンフゥイグゥアン
済南城壁／济南城墙 ジイナァンチャンチィアン
護城河／护城河 フウチャアンハア
環城公園／环城公园 フゥアンチャアンゴォンユゥエン
泉城路／泉城路 チュウエンチャアンルウ
旧徳王府／德王府 ダアワァンフウ
玉斌府／玉斌府 ユウビィンフウ

会館などがあった）。南方様式の木彫りの装飾が見える。

解放閣／解放阁★★☆
jiě fàng gé
かいほうかく／ジエファンガア

　済南旧城の南東隅に立つ東西50m、南北43m、高さ10mの堂々としたたたずまいの解放閣。石の基壇のうえに楼閣が載る様式で、明清時代の済南旧城のものではなく、新中国に入った1965年に建てられた。国民党と共産党による国共内戦時の1948年、済南をめぐって激しい攻防戦が繰り広げられた。済南を包囲した共産党軍（人民解放軍）は、国民党軍の守備する済南の攻略にあたって、済南旧城南東隅から突破して、済南を解放した。済南は華北の要衝であり、農村を根拠地としていた人民解放軍が大都市のひとつを獲得したことを記念して、のちに城壁の一角に解放閣が整備された（革命の勝利を「解放」と呼んだ）。

済南城壁／济南城墙★☆☆
jǐ nán chéng qiáng
さいなんじょうへき／ジイナァンチャンチィアン

　済南旧城は明代に造営された内城（方形）と、清代に整備された外城（円形）の二重の城壁をもっていた。このうち内城の城壁は、それまで土壁であったが、1371年に修建され、高さ10.7mの石づくりのものとなった。この済南城壁は周囲6.16kmにおよんだが、交通の便をよくする目的などから20世紀なかばに撤去された。現在は、城壁と並行していた護城河（濠）と解放閣がその面影を残している。

護城河／护城河★☆☆
hù chéng hé
ごじょうが／フウチァンハア

　済南旧城をとりまく護城河は、元（1260〜1368年）代に形成

石の基壇の上部に楼閣がそびえる解放閣

済南旧城南東隅近くに湧く黒虎泉泉群

され、続く明代に現在の姿となった。済南旧城に湧く泉を水源とし、全長は6900mになる（娥英河ともいう）。解放閣近くの護城河のほとりには黒虎泉、渓中泉、瑪瑙泉、九女泉というように、ずらりと黒虎泉泉群が続き、このあたりの清流は太公望が釣りをしたところとも言われる。

黒虎泉／黑虎泉★★☆
hēi hǔ quán
こくふせん／ヘェイフウチュゥエン

　済南旧城東南隅に位置し、趵突泉、珍珠泉、五龍潭とならぶ済南四大名泉のひとつにあげられる黒虎泉。虎の口を模した3つの石彫から湧き出る水は、水質良好、趵突泉につぐ水量だという。黒虎泉という名前は、明代嘉靖年間（1522〜66年）にこの地にあった黒虎廟に由来し、かつてはここで洗濯する中国人の姿も見られた。あたりには琵琶泉、九女泉、白石泉のように黒虎泉泉群が集まっていて、1964年に架けられたアーチ状の琵琶橋も見える。また白石泉は、1794年の日照りのとき、河道を浚渫すると岩石にいたり、そこから泉が湧き出したのがはじまりだという。

Jiu Cheng Xi Fang

旧城西部城市案内

芙蓉街の西側のエリアには
キリスト教の教会や道教寺院などが残り
済南の繁華街である西関へと続く

紅尚坊／红尚坊 ★☆☆
hóng shàng fāng
こうしょうぼう／ホォンシャンファン

　　済南旧城のたたずまいを、現代風に活かした複合施設の
紅尚坊。四合院風建築にショップやレストランが入居する。
芙蓉街のすぐ西側に位置する。

将軍廟街／将军庙街 ★☆☆
jiāng jūn miào jiē
しょうぐんびょうがい／ジィアンジュンミィアオジエ

　　将軍廟街は、済南旧城西部を東西に走る全長150mほどの
路地。将軍廟街という名前は、清の雍正帝時代の布政使布蘭
泰が、この地にあった李諱の成龍書院の前堂に劉猛将軍を
まつり、後堂に李公の位を安置したことにちなむ。劉猛将軍
は忠義の士として知られ、将軍廟街は、この将軍廟のほか慈
雲観、府城隍廟、天主教堂など4つの宗教施設が集まる場所
だった（一般的に劉猛将軍はイナゴの害から農作物を守る神でもある）。

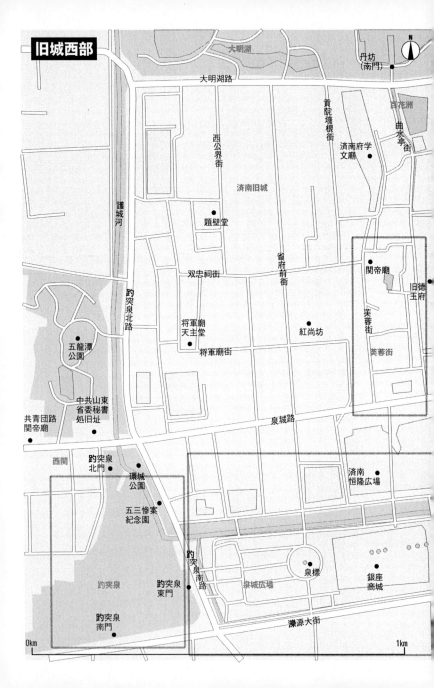

将軍廟街天主教堂／将军庙街天主教堂 ★☆☆

jiāng jūn miào jiē tiān zhǔ jiào táng

しょうぐんびょうがいてんしゅきょうどう／ジィアンジュンミィアオジエティエンチュウジィアオタァン

　　将軍廟街天主教堂は、将軍廟街に立つ石づくりのキリスト教教会。この教会はポルトガル人宣教師が1650年に建てた教会を前身とし、当初、「洋教堂」と呼ばれていた（清朝初期の済南には、あいついで宣教師が訪れ、キリスト教への反対運動も起こった）。その後、改築され、1898年に現在の姿となった。上部に十字架を載せ、建物内部にはステンドグラスを通して光が入る。

081

旧城西部城市案内

題壁堂／題壁堂 ★☆☆

ti bi táng

だいへきどう／ティビイタァン

　　清代の1679年に建てられた道教建築群の一角に残る題
壁堂(呂洞賓をまつる呂祖廟などがあった)。この題壁堂は1803年
に建てられ、1905年に正堂(題壁堂)、三星楼、呂祖廟、戯楼が
整備された。赤の柱と梁で組まれた木造建物で、華北に現存
する最大規模の戯楼を擁する。ここは済南でもっとも早く
教育が行なわれた学校でもあった。

路地が続いていく将軍廟街界隈　　　　　　　　キリスト教会の将軍廟街天主教堂

Xi Guan
西関城市案内

済南旧城の西門とその外側界隈を西関と呼ぶ
旧城西側に商埠地がつくられたこともあり
清末には済南でも最大の繁華街となった

五龍潭公園／五龙潭公园 ★☆☆
wǔ lóng tán gōng yuán
ごりゅうたんこうえん／ウウロンタァンゴォンユゥエン

　済南旧城西側の五龍潭(泉)を中心とした景勝地の五龍潭公園。この地には北魏以前から湖があり、宋代には大明湖の一隅にあたり、四望湖と呼んだ(また唐代、李世民から慕われた唐建国の功労者である山東人秦瓊の邸宅が五龍潭の地にあった)。元代、済南で日照りが続いたときに、廟(五龍潭神祠)を建て、五行説にもとづく青龍、赤龍、黄龍、白龍、黒龍の五方の龍神をまつり、その泉は五龍潭と呼ばれるようになった。江家池はじめ周囲の20をこす泉の水がこの池に集まり、趵突泉、珍珠泉、黒虎泉とならぶ済南四大名泉のひとつにあげられる。南北70m、東西35m、水深4m強で、5匹の龍の口から水がこぼれ出す姿も見られる。

中共山東省委秘書処旧址／中共山东省委秘书处旧址 ★☆☆
zhōng gòng shān dōng shěng wěi mì shū chù jiù zhǐ
ちゅうきょうさんとんしょういひしょしょきゅうし／チョンゴォンシャンドォンシェンウェイミイシュウチュウジゥチイ

　五龍潭公園の一角に残る中共山東省委秘書処旧址。1921年、王尽美と鄧恩銘が済南で共産党を組織し、1925〜27年、この地が革命活動(地下活動)の拠点だった。このあたりは当初、東流水街が走り、民居がならんでいたが、1983年に五龍

西関

題壁堂

趵突泉北路

花店街

朝陽街

五龍潭
公園

将軍廟
天主堂

将軍廟街

済南旧城

中共山東
省委秘書
処旧址

泉城路

草包
包子

共青団路
関帝廟

普利街

済南緑地
中心

西関

趵突泉
北門

環城
公園

共青団路

五三惨案
紀念園

回民小区

長春観

趵突泉

趵突泉
東門

泉城
広場

順河高架路（旧済南外城城壁）

清真
北大寺

回民小区

飲虎街

趵突泉
南門

濼源大街

趵突泉南路

清真
南大寺

上新街

南新街

旧済南外城

済南老舎
紀念館

広智院

紅卍字
会旧址

文化西路

0km   1km

N

潭公園が整備されたとき、周囲の街巷は壊され、中共山東省委秘書処旧址だけが残された。上下三間からなる白壁、2層の小ぶりな建物で、中国共産党成立に尽力した王尽美の象が立つ。

五三惨案紀念園／五三惨案纪念园★☆☆
wǔ sān cǎn àn jì niàn yuán
ごさんさんあんきねんえん／ウウサァンツァンアンジイニィエンユゥエン

済南旧城南西隅、趵突泉に隣接する五三惨案紀念園。五三惨案とは、1928年5月3日に起こった済南事件(日本と中国の軍事衝突)の中国側の呼称で、西城墙根街と呼ばれたこの地では多くの済南住民が生命を落とした。当時、日本は第二次山東出兵を行なったが、それは居留民保護という名目をはる

★★★
趵突泉／趵突泉 バァオトゥチュウアン

★★☆
西関／西关 シイグゥアン
紅卍字会旧址／红卍字会旧址 ホォンワァンツウフゥイジィウチイ
広智院／广智院 グゥアンチイユゥエン
済南旧城／济南旧城 ジイナァンジィウチャアン

★☆☆
長春観／长春观 チァンチュングゥアン
共青団路関帝廟／共青团路关帝庙 ゴォンチィントゥアンルウグゥアンディイミィアオ
草包包子／草包包子 ツァオバオバオツウ
済南緑地中心／济南绿地中心 ジイナァンリュウディチョンシィン
回民小区／回民小区 フゥイミィンシィアオチュウ
清真南大寺／清真南大寺 チィンチェンナァンダアスウ
清真北大寺／清真北大寺 チィンチェンベェイダアスウ
済南老舎紀念館／济南老舍纪念馆 ジイナァンラオシェジイニィエングゥアン
済南外城／济南外城 ジイナァンワァイチャアン
泉城広場／泉城广场 チュウエンチャアングゥアンチャアン
泉城路／泉城路 チュウエンチャアンルウ
護城河／护城河 フウチャアンハア
将軍廟街／将军庙街 ジィアンジュンミィアオジエ
将軍廟街天主教堂／将军庙街天主教堂 ジィアンジュンミィアオジエティエンチュウジィアオタァン
題壁堂／题壁堂 ティビイタァン
五龍潭公園／五龙潭公园 ウウロォンタァンゴォンユゥエン
中共山東省委秘書処旧址／中共山东省委秘书处旧址 チョンゴォンシャンドォンシェンウェイミイシュウチュウジィウチイ
五三惨案紀念園／五三惨案纪念园 ウウサァンツァンアンジイニィエンユゥエン
環城公園／环城公园 フゥアンチャアンゴォンユゥエン

かに逸脱した大規模な軍事行動だった。日本に抗議した蔡公時（1881〜1928年）はじめ、民間人が殺害され、中国人の死亡3600人、負傷1400人という犠牲を出して日本軍は済南を陥落させた（この事件は中国側の反感を買い、対日感情を悪化させた）。その後、西城墙根街は五三街と改名され、2007年に済南惨案紀念園が建てられた。中国の伝統的な庭園で、緑の屋根瓦をもつ「五三惨案紀念堂」、1928年5月3日と刻まれた書籍型の「五三惨案紀念碑」、モニュメントの「五三惨案紀念亭」、蔡公時にまつわる「蔡公時紀念館」が位置する。

済南事件とは

　1911年の辛亥革命以後、各地に軍閥が割拠するなか、孫文の意志をついだ蒋介石は、広州から北伐を開始して北京を目指した。1928年、北伐軍は徐州にいたり山東省まで目前となったが、第一次大戦で獲得していた山東省の権益を守るため、日本は「済南の日本人居留民保護（当時の日本人居留民は、青島に2万人、済南に2千人）」を名目に出兵した（山東省の軍閥であった張宗昌と孫伝芳は戦わずに街を放棄した）。済南は北京へ向かうにあたって必ず通過しなくてはならない要衝で、先に入城した日本軍は1928年4月26日から警備をはじめ、国民革命軍はすぐあとの5月1日に済南に入城した。5月3日、麟趾門街で両者の軍事衝突が起こったが、蒋介石は北伐を優先させて済南から軍を撤退し、北京へ向かった（日本側とは協議し、軍閥を打倒してから日本に立ち向かう作戦だった）。一方、日本軍は8日から総攻撃を開始し、9日と10日は昼夜問わず、済南旧城に集中砲火をあびせ、11日にこれを占領した。済南は壊滅状態となり、中国側は3600人の死者を出した。済南では6月になっても商店のほとんどが開店せず、事件前に40万人近いとされた済南の人口は半減する事態におちいった。この済南事件で中国人の排日感情が高まり、各国からの非難を受けた日本軍は山東から撤退した。

環城公園／环城公园 ★☆☆
huán chéng gōng yuán
かんじょうこうえん／フゥアンチァンゴォンユゥエン

　　済南旧城の周囲をめぐる護城河にそって整備された全長4.7kmの環城公園。趵突泉や黒虎泉といった泉が流入し、地形にあわせた幅5〜50mほどの緑地が見られる。華北にありながら、豊かな水と緑、船が浮かぶ様子は江南の風景を思わせる。

西関／西关 ★★☆
xī guān
せいかん／シイグゥアン

　　済南旧城の西門(濼源門)と西門から続くその外側界隈を西関と呼ぶ。清朝末期の1904年、済南旧城の西に商埠地が開かれると、旧城と商埠地を結ぶ西関あたりがにぎわうようになり、共青団路(旧西関大街)にずらりと商店がならんだ。漢方薬、雑貨、絹布、帽子、銭荘が、この西関に集まり、済南屈指の繁栄を見せるようになった(また清朝末期、済南の綿業の多くは、西関の花店街にあった)。現在でも長春観や関帝廟、清真南大寺などの寺廟が見られるほか、イスラム教徒の回族が集住する地域でもある。

長春観／长春观 ★☆☆
zhǎng chūn guān
ちょうしゅんかん／チァアンチュングゥアン

　　西関に位置する長春真人をまつった道教寺院の長春観。道観は北宋大観年間(1107〜11年)に建てられ、その後、長春真人(1148〜1227年)が滞在したというゆかりから、元代に長春観と改名された。済南でもっとも由緒があり、明代には知られた道教寺院だったが、その後、破壊され、重修された(山門、大殿、東西配殿から伽藍がなる)。この長春観を大庵と呼んだことから、近くの通りを西関大庵巷といった。

このあたりは五三惨案こと済南事件でもっとも被害をこうむった

5つの龍の口から泉水がこぼれ出す五龍潭公園

済南旧城をぐるりとめぐる環城公園、泉の湧き水で形成された

人気小吃店の草包包子

共青団路関帝廟／共青团路关帝庙 ★☆☆
gòng qīng tuán lù guān dì miào
きょうせいだんろかんていびょう／ゴォンチントゥアンルウグゥアンディイミィアオ

　　商売(信用)の神さま関羽をまつる共青団路関帝廟。清代の嘉慶年間に建てられ、西関を拠点とする商人から信仰を受けた(近くには衣料品をあつかう商人の集まる集雲会館があった)。関羽像が安置され、敷地内には済南の72泉のひとつ西蜜脂泉が湧く。

草包包子／草包包子 ★☆☆
cǎo bāo bāo zǐ
そうほうほうし／ツアオバオバオツウ

　　済南を代表する小吃(肉まん)の老舗の草包包子。20世紀初頭、ホテルの見習いだった張文漢は不器用で役立たずだったが、あるとき肉まんをつくるように言われ、それを売りに行かされた。するとその肉まん(草包包子)の味が評判を呼び、済南を代表する小吃になった。豚肉や玉ねぎを餡にするこの張文漢の肉まんは「草包」と名づけられた。

済南緑地中心／济南绿地中心 ★☆☆
jǐ nán lǜ dì zhōng xīn
さいなんりょくちちゅうしん／ジイナァンリュウディチョンシン

　　済南旧城の西関、共青団路と普利街がつくる三角地にそびえる済南緑地中心。高さ303m、地上60階建ての高層ビルは済南のいたるところから見えるランドマークとなっている。済南を代表するビジネス、金融拠点として知られ、緑地中心という名称は、緑地集団(企業)からとられている。

回民小区／回民小区 ★☆☆
huí mín xiǎo qū
かいみんしょうく／フゥイミィンシィアオチュウ

　　済南西関の一角には、イスラム教徒の回族が集住する回

民小区が位置する。済南では元(1260～1368年)代からイスラム教徒(回教徒)が暮らすようになり、済南の回教徒はおもに商業を生業としてきた。ここ回民小区では、白いイスラム帽をかぶる回教徒の姿とともに、南北ふたつの清真寺(モスク)が見られる。また中央アジアに通じる串焼きの「羊肉串屋台」、羊のひき肉に醤油、塩、ごま油で味つける「羊肉包子」の店もある(イスラム教では、豚肉を口にすることが禁じられている)。

清真南大寺／清真南大寺★☆☆
qīng zhēn nán dà sì
せいしんなんだいじ／チィンチェンナァンダアスウ

済南でもっとも由緒正しいイスラム寺院(モスク)の清真南大寺。済南には元代からイスラム教徒(回教徒)の居留地があり、清真南大寺はその礼拝のために1295年に建てられた(元代、モンゴルの統治者の実務をになうため、イスラム教徒が移住してきた)。アラビア語の表記、イスラム教を意味する緑色で刻まれた「照壁」、1914年に建てられた礼拝(アザーン)を呼びかける「邦克楼(ミナレット)」、月を見る2層の「望月楼」、高さ26m、1000人が同時礼拝できる「礼拝大殿」からなり、緑の屋根瓦、中国の建築様式をもつ。この清真南大寺は西関のイスラム教徒の信仰の中心で、その前の通りは元代に回回巷、明代に礼拝寺巷と呼ばれていた。

★★★
趵突泉／趵突泉 バァオトゥチュアン
★★☆
西関／西关 シイグゥアン
★☆☆
長春観／长春观 チャアンチュングゥアン
共青団路関帝廟／共青团路关帝庙 ゴンチィントゥアンルウグゥアンディミィアオ
草包包子／草包包子 ツアオバオバオツゥ
済南緑地中心／济南绿地中心 ジイナンリュウディチョンシィン
回民小区／回民小区 フゥイミィンシィアオチュウ
清真南大寺／清真南大寺 チィンチェンナァンダアスウ
清真北大寺／清真北大寺 チィンチェンベェイダアスウ
済南外城／济南外城 ジイナァンワァイチァアン

清真北大寺／清真北大寺 ★☆☆

qīng zhēn běi dà sì

せいしんほくだいじ／チィンチェンベェイダアスウ

　　清真南大寺の300mほど北側に立つ清真北大寺。明代の弘治年間（1487～1505年）に建てられ、清代に修建された。東向きに立ち、「大門」から「礼拝大殿」「望月楼」と中軸線が続く。全体としては中国風建築だが、部分的にアラビア風の意匠が見える。

南圩子門外城市案内

済南旧城の南西側、ちょうど趵突泉の南のエリアには
紅卍字会や広智院といった近代の済南に
足跡を残した機関が拠点をおいていた

紅卍字会旧址／红卍字会旧址★★☆

hóng wàn zi huì jiù zhǐ
こうまんじかいきゅうし／ホォンヮァンツウフゥイジィウチイ

紅卍字会は、1921年に済南で成立された宗教団体の道院
を母体とする慈善団体。教育、福祉活動とともに、医療施設
を運営し、干ばつや洪水などの災害に見舞われた人たちの
救済にあたった（済南に貧民工作所を設置し、被災地の子どもを収容し
た）。この紅卍会は、山東省濱県および済南の地方官僚らが
起こした道院（秘密結社的宗教団体）の付属事業で、1920〜30年
代、山東省済南を中心に華北全域に広がりを見せた。卍字会
母院旧址は1939年に建てられ、南北215m、東西65mの敷地
に、「辰光閣」「文光閣」などの建物が残っている。中国の伝統
的な宮殿建築、廟建築の様式があわさっており、かつて山東
博物館として利用されていた。

道院、紅卍字会の歩み

山東省濱県公署につとめる県知事呉福森と劉紹基は、大
仙祠をまつり、乩壇（占い）を使った秘密結社的集団（濱壇）を
組織した。このふたりが1917年に済南に転勤することにな
り、済南でも乩壇（済壇）を続け、1919〜20年に済南上新街を
拠点とするようになった。1921年、地方官吏や済南の名望

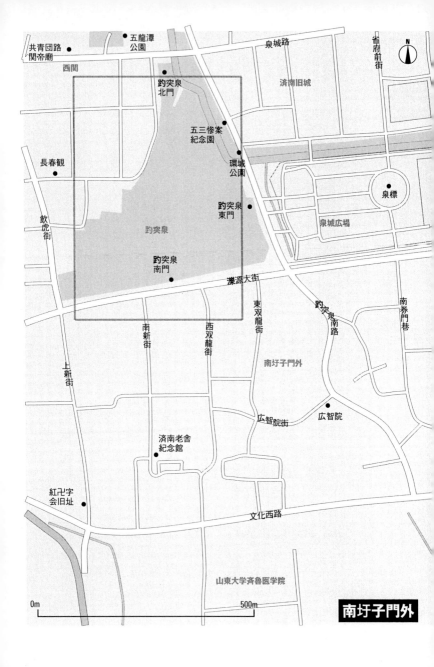

共青団路
関帝廟
五龍潭公園
泉城路
省府前街
N
西関
趵突泉北門
済南旧城
五三惨案紀念園
長春観
環城公園
飲虎街
趵突泉
趵突泉東門
泉標
泉城広場
趵突泉南門
濼源大街
趵突泉南路
東双龍街
南券門巷
南新街
西双龍街
南圩子門外
上新街
広智院街
広智院
済南老舎紀念館
紅卍字会旧址
文化西路
山東大学斉魯医学院

0m
500m

南圩子門外

家などが加わって、宗教団体の済南道院が設立された。この済南道院は済寧、天津、北京といった都市にも分院をつくって進出し、済南道院を母院、北京道院を総院とあらためた(全国240か所以上の道院と、30万とも500、600万ともいわれる修道者を統括した)。道院の修道には、内修(静坐)と外修(慈善事業)があり、イエス、ムハンマド、シャカ、老子、項先師といった神位が院内に設置された。紅卍字会は、五教合一論をいち早くとり入れ、普遍性、越境性を打ち出して、赤十字とともに中国を代表する慈善団体に成長した。済南は1920〜30年代に隆盛を見せた民間宗教の中心地となっていたが、1949年に中華人民共和国が成立すると、紅卍字会は反動的宗教であると処分された。

済南老舎紀念館／济南老舍纪念馆★☆☆
jǐ nán lǎo shě jì niàn guǎn
さいなんろうしゃきねんかん／ジイナンラオシェジイニィエングゥアン

　北京生まれの近代中国の作家老舎(1899〜1966年)は、教師として済南に4年、青島に3年、あわせて7年間山東省で生活

近代、済南につくられた博物館の広智院

アラビア文字が見える、済南には回族の人も多く住む

している。イギリス留学から帰国した老舎は、1931年に胡絜青と結婚し、1934年から済南の斉魯大学に教授として赴任した。夫妻は済南でともに教鞭をとり、老舎は「文学概論」「近代文芸批評」「小説作法」「世界名著研究」を教えている。この時代の老舎は、教職を主とし、創作を副業とし、『大明湖』『猫城記』『離婚』『済南的冬天』『趵突泉欣賞』などを執筆した（上海事変が勃発し、『大明湖』の手稿は商務印書館が焼けたことで消失した）。老舎夫妻は済南ではじめて女の子を授かり、「済(チィ)」と名づけるなど、済南を「第二の故郷」とたたえている。1937年に日中戦争がはじまると、老舎は済南を脱出し、やがて故郷の北京に戻ったが、1966年、文革のなかで生命を落とした。

広智院／广智院★★☆
guǎng zhì yuàn
こうちいん／グゥアンチイユゥエン

1904年、イギリスのキリスト教団体浸礼会(プロテスタント)によって設立された広智院。もともと青州(益都)で、小規模に展開していたが、済南に遷ってから動植物、天文、地理、文教、芸術まで幅広く収集し、鉱物、標本、天体運行の模型などを展示した。広智院とは「広其智識」を意味し、おもな事業であるキリスト教布教の付属として行なう文化教育事業(博物館)だった。南北185m、東西70mの敷地内に、「出」の字型の平面プランをもち、中側は西欧様式、外観は中国様式の建築となっている。済南に開館したもっとも早いこの博物館は、1954年から、紅卍字会旧址とともに山東博物館へと転用されたこともある。広智院の西側には、1905年創建の浸礼会による教会(南関教堂)が位置する。

済南外城／济南外城 ★☆☆

jǐ nán wài chéng

さいなんがいじょう／ジイナンワイチァァアン

　清代、東関、南関、西関といった済南旧城の門外に店舗が
ならび、済南住民が暮らすようになった。清代の1860年、人
びとは自己防衛のため、これら済南旧城外の市街を包みこ
むように、土壁の外城を造営した。方形の済南旧城(内城)に
対して、外城は不整形な楕円形で、済南は瀋陽などと同様に
二重の城壁をもつ都市となっていた。この外城の領域は、西
は順河高架路、南は文化西路、東は歴山路、北は明湖東路か
ら明湖北路(北側は内城と同じ)にあたった。

Shang Bu Di

旧商埠地城市案内

アヘン戦争以降に開港された中国の港町
これらの港町に対して済南は
中国側が自ら開き、旧城の西側に商埠地がおかれた

旧商埠地/商埠地★★☆
shāng bù dì
きゅうしょうふち/シャンブウディ

　商埠地とは西欧との商売や貿易が行なわれる互市場で、
済南では1904年に清朝自らが開いた(済南、濰県、周村が中国側が
設置した商埠地)。これはドイツによる青島の開発に対抗する
意図によるもので、山東巡撫の周馥と袁世凱らが商埠地造
営に尽力した。済南の商埠地こと新市街は、済南旧城西関の
さらに西側の普利門から大槐樹までの地(五里溝)につくら
れ、済南旧城と双子都市のようなたたずまいをしていた(水
都の旧市街に対して、黄塵の新市街と呼ばれた)。商埠地は欧米の都
市計画にならい、東西8の経(馬)路、南北10の緯路が交差す
る碁盤の目状の街区をもち、緯一路、緯二路というように街
路は名づけられている。この商埠地では、60年間の外国人の
居住、営業を許可し、西欧の商人や機会を求めた中国商人が
店舗を構えた。当初、25万人だった済南の人口は、商埠地の
設置以来、30年間で40万人を超え、増加の一途をたどった。
1918年と1926年に商埠地の拡張が行なわれ、現在は済南旧
城と一体化している。

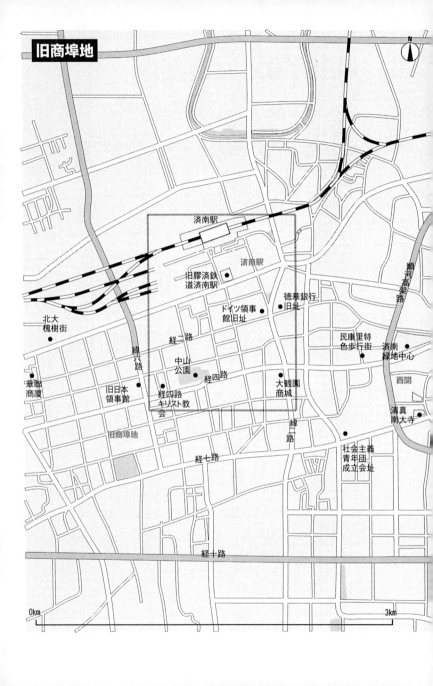

旧商埠地

N

済南駅

済南駅

旧膠済鉄
道済南駅

ドイツ領事
館旧址

徳華銀行
旧址

北大
槐樹街

経二路

緯六路

民康里特
色歩行街

済南
緑地中心

西関

華聯
商廈

旧日本
領事館

中山
公園

経四路

経四路
キリスト教
会

大観園
商城

旧商埠地

緯一路

清真
南大寺

経七路

社会主義
青年団
成立会址

経十路

0km

3km

順河高架路

西欧の進出と済南

　1840〜42年のアヘン戦争以後、上海や天津、青島、大連などが西欧の半植民地となり、街は急速に発展をはじめた。山東省の省都済南は、港町青島を獲得したドイツの影響を強く受け、商埠地が近代化の舞台となった。洋風の商埠公園(中山公園)、1904年開業のドイツ人石泰岩による西欧料理店(石泰岩飯店)、1905年に開館した済南ではじめての映画館(小広寒電影院)、またキリスト教会の姿もあった。青島や天津の場合、外国資本が多数を占めたのに対して、済南では1919年開業の魯豊紡績はじめ、中国資本が中心となって事業を行なった(ドイツ人の指導を受けた中国人が活躍した)。

旧膠済鉄道済南駅／老胶済铁路済南站★☆☆
lǎo jiāo jì tiě lù jì nán zhàn
きゅうこうさいてつどうさいなんえき／ラオジィアオジイティエルウジイナァンジアン

　商埠地の象徴的存在であり、ドイツ風建築の旧膠済鉄道済南駅。1897年にドイツが青島を占領し、翌年、清朝からこの地を租借すると、青島(膠州湾)と済南を結ぶ膠済鉄道を敷

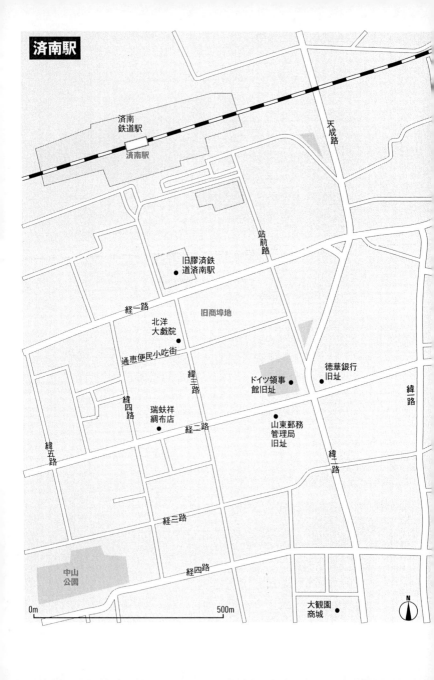

済南駅

済南鉄道駅

済南駅

天成路

站前路

旧膠済鉄道済南駅

経一路

旧商埠地

北洋大戯院

通恵便民小吃街

緯三路

緯四路

ドイツ領事館旧址

徳華銀行旧址

緯一路

瑞蚨祥綢布店

経二路

山東郵務管理局旧址

緯五路

緯二路

経三路

中山公園

経四路

0m

500m

大観園商城

N

設した(ドイツには、淄川鉱区の石炭はじめ、山東省の資源を運び出し、自国製品を販売する意図があった)。膠済鉄道は1904年に通じ、西の済南から東の青島まで12時間あまりで結んだ。この鉄道の開通によって商業地としての済南の注目度があがり、商埠地がにぎわうようになった。旧膠済鉄道済南駅は、1915年に完成し、地上3階、地下1階からなり、高さは15m、イオニア式の柱と時計をファザードにもつ。

ふたつの鉄道線

　青島から済南にいたる東西の膠済鉄道はドイツによって1904年に開業。天津、済南、南京を結ぶ南北の津浦鉄道はイギリスによって1912年に開業した。このふたつの路線は、青島を拠点とするドイツと、天津を拠点とするイギリスの争いでもあり、済南の両者の鉄道駅は隣接して別々に存在していた(1858年に天津開港、1862年に煙台開港、1898年に青島開港)。明清時代の済南は、山東省のほぼ中央に位置し、立地はよいものの、内地貿易の一都市に過ぎなかったが、ふたつの鉄道路線が済南で交わったことで、山東省の伝統的商品流通のありかたが劇的に変わった。済南は、落花生はじめ物資の集散地となり、その商圏は水陸交通を通じて天津、上海、青島にもおよぶようになった(この時代、済南周囲の灘県、周村にも商埠

★★☆
旧商埠地／商埠地 シャンブウディ
経二路／経二路 ジィンアアルウ
★☆☆
旧膠済鉄道済南駅／老胶済鉄路済南站 ラオジィアオティエルウジイナンジアン
済南鉄道駅／済南火車站 ジィナァンフゥオチャアジアン
通恵便民小吃街／通恵便民小吃街 トォンフイビィアンミィンシィアオチイジィエ
北洋大戯院／北洋大戯院 ベェイヤァンダアシイユゥエン
ドイツ領事館旧址／徳国駐済南領事館旧址 ダアグゥオチゥジイナァンリィンシイグゥアンジゥチイ
徳華銀行旧址／徳華銀行済南分行旧址 ダアフゥアインハァンジイナァンフェンハァンジゥチイ
山東郵務管理局旧址／山東郵務管理局旧址 シャンドォンヨゥウゥゥゥゥグゥアンリイジゥジィウチイ
瑞蚨祥綢布店／瑞蚨祥綢布店 ルゥイフウシィアンチョウブウディエン
大観園商城／大観園商城 ダアグゥアンユゥエンシャンチァン

新しく建てられた済南駅

商埠地は近代につくられ、急速に発展した市街地

地元の人が集まる通恵便民小吃街

清朝末期以来の伝統をもつ北洋大戯院

地がおかれ、産業化が進んだ)。

済南鉄道駅／济南火车站★☆☆
jǐ nán huǒ chē zhàn
さいなんてつどうえき／ジイナァンフゥオチャアジアン

済南鉄道駅は、1904年に開通した膠済鉄道の西端の駅と
して建てられ、1911年に完成した津浦鉄道の済南駅(1992年
にとり壊された)とあわせて、1937年、ひとつの済南駅となっ
た(合併した)。現在の済南鉄道駅は旧津浦鉄道停車場の位置
に立ち、南側に旧膠済鉄道停車場(旧膠済鉄道の済南駅)が隣接
する。2013年に済南駅は再建されて現在の姿となり、南北
を結ぶ京滬鉄路、東へ向かう膠済鉄道、西へ向かう邯済鉄道
といった路線が集まる。

通恵便民小吃街／通惠便民小吃街★☆☆
tōng huì biàn mín xiǎo chī jiē
つうけいべんみんしゃおちーがい／トォンフイビィアンミィンシィアオチイジィエ

済南駅近くの小さな路地に地元の人が集まる通恵便民小
吃街。ずらりと小吃店やレストランが軒を連ね、軒先には料
理や食材がならべられている。1904年の商埠地の開設にあ
わせて多くの山東人が済南に流入し、鉄道駅界隈のこのあ
たりは茶館や宿泊所が店を構えていた。

北洋大戯院／北洋大戏院★☆☆
běi yáng dà xì yuàn
ほくようだいぎいん／ベェイヤァンダアシイユゥエン

北洋大戯院は、1905年に開館した興華茶園を前身とする
劇場。済南では清代から官僚や郷紳が観劇を楽しむ伝統が
あり、商埠地が開かれると、このあたりに茶館や劇場がなら
んだ。1934年、北洋大戯院と名前を変え、以来、済南の著名
俳優が舞台にあがった。両端のそりかえった緑の屋根瓦の
堂々としたたたずまいを見せ、京劇や西皮二黄といった伝

統劇が行なわれる。

経二路／经二路★★☆
jīng èr lù
けいにろ／ジンアアルウ

　1904年に開かれた商埠地は、東西(馬路、経路)と南北(緯路)の道路が交わる碁盤の目状に整備された。そのなかでも最大の繁華街だったのが経二路で、ドイツ領事館、銀行、会社、大商店、郵政局、映画館、済南公設市場などが集まっていた。当時は二馬路と呼ばれ、外城の普利門から済南旧城の濼源門(西門)へと通じ、商埠地時代の建築は今も残る。

ドイツ領事館旧址／德国驻济南领事馆旧址★☆☆
dé guó zhù jǐ nán lǐng shì guǎn jiù zhǐ
どいつりょうじかんきゅうし／ダアグゥオチュウジイナァンリィンシイグゥアンジィウチイ

　1901年に建てられた赤屋根のドイツ領事館旧址。膠済鉄道の完成した翌年の1905年に領事館となり、清朝との交渉、ドイツ人の保護などの業務にあたった(現在は済南市人民政府の一部となっている)。経二路緯二路に立つドイツ領事館旧址のちょうど向かい側には德華銀行旧址が立つなど、ここが商埠地の一等地だった。

德華銀行旧址／德华银行济南分行旧址★☆☆
dé huá yín háng jǐ nán fēn háng jiù zhǐ
とくかぎんこうきゅうし／ダアフウアイインハァンジイナァンフェンハァンジィウチイ

　德華銀行は1889年にドイツの銀行が出資しあって設立された。済南の德華銀行旧址は1901年に建てられ、2階建てと地下室からなり、赤屋根の頂部には八角形の尖塔を見せる(ドイツの別荘様式)。1904年に商埠地が開港されたのち、膠済鉄道や鉱山開発のための資金調達を行ない、ドイツの中国進出を金融面で支える役割を果たした。その後、1945年に中国銀行に接収された。

山東郵務管理局旧址／山东邮务管理局旧址★☆☆
shān dōng yóu wù guǎn lǐ jú jiù zhǐ
さんとうゆうむかんりきょくきゅうし／シャンドォンヨウウウグゥアンリイジゥジィウチイ

　　ドイツ領事館旧址や徳華銀行旧址がならび立つ経二路に
残る山東郵務管理局旧址。済南商埠地の郵便業務を行ない、
この建物は1919年に竣工した。レンガと石張りによる外壁、
高さ30mの塔がそびえる。日中戦争時の1939年、ここに日
本軍の機関がおかれ、1948年の済南戦役前は国民党軍の司
令部があった。

瑞蚨祥綢布店／瑞蚨祥绸布店★☆☆
ruì fú xiáng chóu bù diàn
ずいふしょうちゅうふてん／ルゥイフウシィアンチョウブウディエン

　　瑞蚨祥綢布店は清朝末期以来の伝統をもつ絹布、綿布な
どの専門店(瑞吉祥富貴を意味する)。済南府章丘県出身で孟子
子孫の孟鴻生が、1821年に周村で開いた万蚨祥を前身とす
る。孟鴻生の孫の孟洛川が、1862年、周村から済南へ店を遷
し、現在の泉城路で開業した。1904年に済南商埠地が開か
れると、済南随一の繁華街となったこちらに店を構え、シ
ルク、織物、その他衣服、茶、装飾品などをあつかった。また
1893年に進出して北京最大の綢布店となった北京店はじ
め、天津、青島などにも店をもった(天安門広場に掲げられた最初
の五星紅旗は瑞蚨祥のもの)。現在の済南瑞蚨祥綢布店の建物は、
1924年に建てられたものとなっている。

大観園商城／大观园商城★☆☆
dà guān yuán shāng chéng
だいかんえんしょうじょう／ダアグゥアンユゥエンシャンチァアン

　　1931年、済南に拠る軍閥によって建てられた百貨店、娯楽
施設の大観園商城。済南に現れた最初の百貨店で、『紅楼夢』
に登場する大観園からその名前がとられている。近代以後、
このあたりには露店が集まっていたが、1962～64年に商店

街となった(計画経済期に国営化され、また文革時には東方紅と改名された)。1990年、この大観園は映画館やレストランがならぶ複合施設として改装された。入口には極彩色の牌楼が立ち、済南各地や近郊からの買い物客も訪れる。

民康里特色歩行街／民康里特色歩行街★☆☆
mín kāng lǐ tè sè bù xíng jiē
みんこうりとくしょくほこうがい／ミィンカアンリイタアセエブウシィンジエ

　済南旧城西関の共青団路から商埠地へと続く経四路。民康里特色歩行街はこの経四路商圏の中心にあり、通りの両脇には店舗、レストラン、長春里キリスト教堂などがならぶ。また周囲には万達広場や中国銀行も位置する。

経四路キリスト教会／経四路基督教堂★☆☆
jīng sì lù jī dū jiào táng
けいしろきりすときょうかい／ジィンスウルウジイドゥジアオタァン

　商埠地に暮らすキリスト教徒が礼拝に訪れた経四路キリスト教会。1926年に建てられた教会は、地上4階、地下1階で、赤レンガの外壁、ふたつの塔の中央には十字架が載る。西欧建築をもとに中国人の李洪根が設計し、1300人を収容する。

旧日本領事館／済南日本総領事館旧址★☆☆
jǐ nán rì běn zǒng lǐng shì guǎn jiù zhǐ
きゅうにほんりょうじかん／ジイナァンリイベェンズォンリィンシイグゥアンジゥチイ

　第一次世界大戦で山東権益を獲得した日本は、1914年、済南商埠地の中心地に領事館を開いた(それ以前は天津総領事館の管轄で、副領事のみの駐在だった)。日本領事館は中国側との折衝、外交や日本人居留民の保護にあたった。1918年、のちに安田講堂を設計し東大総長となる内田祥三が設計した旧日本領事館が建てられたが、済南事件のなかで破壊された。その後、日中戦争がはじまり、済南を占領した日本は、1938年に領事館を再建した。そばには日本人の暮らす官舎と警部

旧商埠地に残る石づくりの近代建築

徳華銀行旧址、こことその向かいの領事館がドイツの拠点
だった

済南駅前にはかんたんに食べられる料理店がならぶ

保存される古い建物と新しい建物が隣りあわせる

官舎があり、また横浜正金銀行と三井洋行、高島屋などの日系企業の姿も見られた。

済南と日本人

　1914年にはじまった第一次世界大戦を機に、日本人は済南に進出し、日中戦争時の1937年に日本軍が済南を占領すると、日本居留民は増大した（以前からいた老済南は、ムカデ対策で高床式の住宅に暮らすなど、より中国に親しんでいたという）。このあいだ（1928年）、済南の居留民保護を名目とした出兵による済南事件が起こるなど、日本の大陸進出と済南の日本人は密接な関係があった。日本占領下の済南では、商埠地の南郊外1平方キロに住宅地、北郊外に工業区を計画した。1941年1月、南郊市街地は完成し、経十路と緯二路がまじわるあたりは、当時の街区（碁盤目の状）がそのまま残っている。この時代に済南の工業化も進み、1944年、済南地域には日本人経営による工場は100を超したという。

中国社会主義青年団済南地方団成立会址／中国社会主义青年团济南地方团成立会址★☆☆
zhōng guó shè huì zhǔ yì qīng nián tuán jǐ nán dì fāng tuán chéng lì huì zhǐ
ちゅうごくしゃかいしゅぎせいねんだんさいなんちほうだんせいりつかいし／チョングゥオシェフイチュウイイチィンニィエントゥアンジイナァンディファントゥアンチェンリイフイチイ

　経七路に位置する済南育英中学院内に残る中国社会主義青年団済南地方団成立会址。ここで王尽美、鄧恩銘などが中国社会主義青年団済南地方団を組織し、のちの新中国へつながる活動を行なった。中国式の屋根瓦に、アーチが連続する2層のファザードをもつ建物となっている。済南育英中学院は1913年、済南に設立された早期の私立中学。

省会済南こぼればなし

日本の長野県と同一の緯度にある済南
古い歴史をもつこの済南が山東省の中心と
なるのはその立地によるところが大きかった

拡大する経済都市

　山東省は、広東省、江蘇省とならんで中国有数の経済規模をもち、同時に全省屈指の人口を擁する。省都済南はこの省のちょうどへその位置にあり、明清時代から農産物の集散地だったが、20世紀以降は鉄鋼、機械、紡績、化学など、工業の中心地となった(付近には石炭の産地もある)。済南旧城と商埠地を中心に、市街地は東西に拡大し、それぞれ東部新城、西部新城と名づけられている。これら新市街と旧市街は一体化し、高速鉄道や高速道路を通じて、北京、上海、青島といった大都市とも結ばれている。日本や韓国に近いという地の利、また済南東郊外に大学城があることから、安定した人材供給も期待できる。

「済南名士多」文人と済南

　山東省では斉の国のあった春秋戦国時代から文人に恵まれ、始皇帝が焚書坑儒を行なったとき、済南では伏生が書物を壁に埋め込んでこれを後世に残した。漢代、儒教が国教とされると、朝廷で活躍する田蚡や公孫弘などの儒者の多くは斉、魯の出身者であった。また詩賦に秀でた三国志の曹操が済南に3年間、任じられていたこと

もある。多くの学者や文人を輩出したことから、唐代の杜甫が詠んだ「済南名士多(済南には名士が多い)」という文言はこの街を象徴するものとなっている。華北にありながら江南のように水が豊かな済南には、唐代の李白(701～762年)や杜甫(712～770年)、宋代の曾鞏(1019～83年)、蘇軾(1036～1101年)といった文人が訪れ、詩を残した。また明代には、弘正四傑のひとり辺貢(1476～1532年)、後七子の首の李攀龍(1514～70年)を輩出しており、清代には済南府新城の望族出身で、済南で秋柳詩社をつくった王士禎(1634～1711年)、『命拾い─鬼隷』『こそ泥と鷹匠神─鷹虎神』など済南にまつわる小説を書いた蒲松齢(済南府淄川出身)がいる。近現代の小説家である老舎(1899～1966年)は一時期、済南に暮らし、『済南的秋天』を記している。

南京と北京、そして省都へ

　明代初期に省都がおかれたことで、現在の済南の地位が確立された。南京の第2代建文帝に対して、のちの第3代永楽帝となる朱棣は北京にいて、靖難の変(1399～1402年)で南京の第2代建文帝に反旗をひるがえし、済南は西水寨、金川門などとともに会戦地となった。明初の山東省では、青州に斉王、兗州に魯王、済南に徳王が擁立されていたが、第3代永楽帝によって斉王が削藩され、その後、青州には衡王がおかれた。これら諸藩王国はほとんど王国のたたずまいをしていたが、実際の行政や財務は中央から派遣された布政使がにぎっていた。山東省の省都は、当初、青州にあったが、1376年、済南に遷った。済南は政治の中心地である北京と、経済中心地の江南を結ぶ位置にあり、より京杭大運河に近くて地の利があるといった理由だった。

千仏山鑑賞案内

Qian Fu Shan

済南の別名歴城の由来にもなった歴山こと千仏山
済南旧城の南2.5kmに位置し
泰山、霊巌山とあわせて魯中三山とたたえられる

千仏山／千佛山★★★

qiān fú shān

せんぶつさん／チィエンフウシャン

　千仏山は、済南市街の南に連なる泰山山脈の支脈で、古く
はこの山を「歴山」、その麓の済南を「歴下」といった（済南の街
は、晋代にこの千仏山の麓に遷された）。伝説の帝王である舜が、堯
から地位を譲られる以前、この地で畑を耕したという伝説
が残ることから、舜山、舜耕山とも呼ばれる。東晋（317～420
年）のとき、仏教が済南に伝わると、済南の農民は毎年、この
山で「迁祓（Qiān fú）」という儀式を行ない、やがて似た音の「千
仏（Qiān fó）山」と呼びならわされるようになった。また千仏
山の岩肌には、隋の開皇年間（581～600年）から仏像が彫られ
て仏教が栄え、千もの仏像が彫られたところから出た名前
だともいう。隋代に創建された仏教寺院の名刹「興国禅寺」、
古くは海上仙山で仙人が住んでいたと言われる道教の名
山、舜の伝説を現在に伝える「歴山院」。仏教、道教、儒教が混
淆し、海抜285mの山の斜面に景勝地が点在する千仏山は、
趵突泉、大明湖とならぶ済南三大名所のひとつとなってい
る。1959年に公園として開放された。

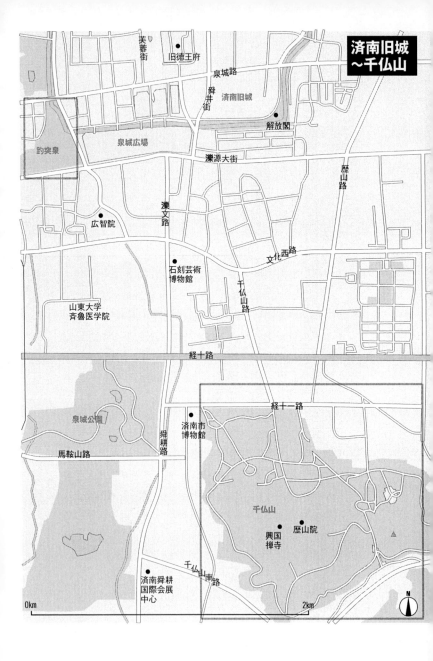

芙蓉街

旧徳王府

泉城路

舜井街

済南旧城

解放閣

泉城広場

釣突泉

濼源大街

歴山路

濼文路

広智院

文化西路

石刻芸術
博物館

千仏山路

山東大学
斉魯医学院

経十路

経十一路

泉城公園

済南市
博物館

舜耕路

馬鞍山路

千仏山

興国
禅寺

歴山院

千仏山南路

済南舜耕
国際会展
中心

0km

2km

N

千仏山の構成

　千仏山は済南市街に近い北側が入口で、南側が奥という構造をもつ(一般的な中国の山や聖地と逆)。高さ14.45m、幅15.5mの「北大門」が正門で、主道の両側には18尊の「十八羅漢」がならぶ。それを抜けると、長さ10m、重さ50トンの「釈迦牟尼涅槃像」が横たわり、また文字の刻まれたモニュメント「大舜石図園」が立つ。そこから階段を登っていくと、千仏山の中心に着き、隋代創建の「興国禅寺」、60体のさまざまな仏像が刻まれた「千仏崖摩崖石刻」、舜祠などを擁する「歴山院」が位置する。またここにいたるまでに、26の観音を安置する「観音園」、槐のそばに立つ16の柱の「唐槐亭(四面亭)」(もともとこの地には、済南太守の曾恐をまつる曾公祠があった)、黄河沿岸の9つの山を望むことができる1845年建立の「斉煙九点坊」、清朝乾隆帝が千仏山に登ったことに由来する1748年建立の「雲径禅関坊」などが立つ。そのほかには文昌帝君をまつる1694年建立の「文昌閣」、莫高窟、龍門、麦積山、雲崗といっ

★★★
千仏山／千佛山 チィエンフウシャン
趵突泉／趵突泉 バァオトゥチュゥアン
芙蓉街／芙蓉街 フウロォンジエ

★★☆
歴山院／历山院 リイシャンユゥエン
興国禅寺／兴国禅寺 シィングゥオチャンスウ
済南旧城／济南旧城 ジイナァンジゥウチャアン
解放閣／解放阁 ジエファンガァ
広智院／广智院 グゥアンチイユゥエン

★☆☆
経十路／经十路 ジンシイルウ
泉城公園／泉城公园 チュゥエンチャンゴォンユゥエン
済南舜耕国際会展中心／济南舜耕国际会展中心 ジイナァンシュンガングゥオジイフウイチャンチョンシン
済南市博物館／济南市博物馆 ジイナァンシイボオウウグゥアン
山東大学斉魯医学院／山东大学齐鲁医学院 シャンドォンダアシュエチイルウイイシュエユゥエン
山東省石刻芸術博物館／山东省石刻艺术博物馆 シャンドォンシェンシイカアイイシュウボオウウグゥアン
泉城広場／泉城广场 チュゥエンチャアングゥアンチャアン
泉城路／泉城路 チュゥエンチャアンルウ
旧徳王府／德王府 ダアワァンフウ
舜井街／舜井街 シュンジィンジエ

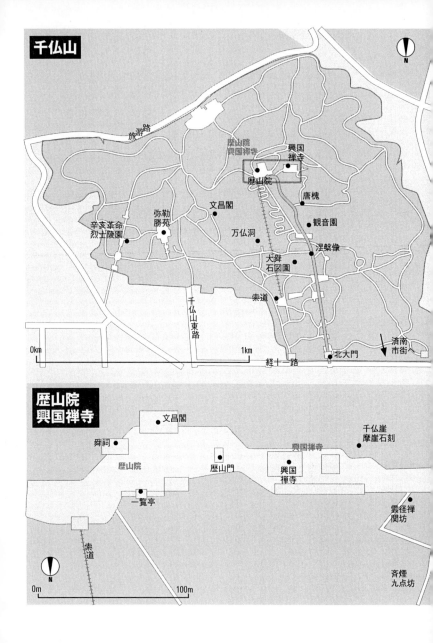

千仏山

旅游路

歴山院
興国禅寺

興国禅寺

歴山院

唐槐

文昌閣

弥勒
勝苑

辛亥革命
烈士陵園

万仏洞

観音園

涅槃像

大舜
石図園

索道

千仏山東路

北大門

経十一路

済南
市街へ

0km　　　　　　1km

歴山院
興国禅寺

文昌閣

舜祠

千仏崖
摩崖石刻

歴山院

歴山門

興国禅寺

興国
禅寺

一覧亭

雲径禅
関坊

索道

斉煙
九点坊

0m　　　　　　100m

た中国を代表する石窟をテーマとした1992年建立の「万仏洞」なども見られる。

歴山院／历山院★★☆
lì shān yuàn
れきざんいん／リイシャンユゥエン

　歴山で農耕をし、雷沢に漁撈したという伝説をもつ舜ゆかりの歴山院。舜が歴山で耕作をはじめると、その徳から大象がやって来て田を耕し、鳥が飛んできて除草をして助けたという。またそれまで畔(あぜ)を侵しあっていた歴山の人たちは、互いに譲りあうようになったという。舜はやがて堯によって登用されるが、こうした舜の伝説は儒家の考える理想的君主像と重ねて見られるようになった。歴山院は、1468年、済南徳王府内官の蘇賢が三清殿と真武楼を築いたのがはじまりで、その後、文昌閣、舜祠、魯班祠、三聖殿、一覧亭などが整備された。堯、舜、禹の古代帝王をさす「三聖殿」、歴山院の主殿にあたり、三皇五帝のひとりの舜とその両脇にふたりの妻(娥皇と女英)をまつる「舜祠」、宋元時代に建てられた大工の神さまをまつる「魯班祠」が位置する。1795年に記された碑文「歴山銘」が残るほか、壁面には長さ30m、幅6mの800字の『舜典』が刻まれている。

伝説の舜とは

　司馬遷(紀元前145年ごろ〜前86ごろ)が『史記』の編纂のために各地をめぐったとき、土地の長老たちが黄帝や堯、舜を賞賛したという。舜はもと農夫の子とされ、父母に仕えて弟からの信任も厚かった。舜は歴山で農耕をし、雷沢で漁撈し、河浜で陶器を焼き、寿丘で日常用具をつくり、負夏で商いをして利益をおさめた。人びとは農地や漁をゆずりあうようになり、陶器は歪みも傷つきもしなくなったという。そして舜の住むところは、1年で部落となり、2年で村となり、3年で町となった。堯は帝位をこの舜に譲り、舜は在位中に、人びとを統治する政治制度、巡狩や祭祀などを整備した。また堯同様、自らの子どもの商均ではなく、聖人の禹に帝位をゆずり、夏王朝がはじまった(これが儒家の理想とする禅譲)。舜の目にはふたつの瞳(あわせて4つの瞳)があった、舜は太陽神であった、などとも語られ、禹による統治以後も、舜の血統は途絶えることなく、陳国は舜の後裔の国とされる。なお舜が耕した歴山の場所は、済南千仏山のほか、山西省蒲州なども候補にあげられる。

興国禅寺／兴国禅寺★★☆
xìng guó chán sì
こうこくぜんじ／シィングゥオチャンスゥ

　南北朝を統一した隋の文帝(541〜604年)は、有能な官吏を登用し、仏教による統治を進めた。興国禅寺は、この文帝の開皇年間創建の古刹で、同時に多くの仏像も彫刻された(当初、千仏寺と呼んだ)。唐の貞観年間(627〜649年)に拡充されて興国禅寺となり、その後の宋代にも再建された。明の1468年に大雄宝殿、天王殿が重修されたのをはじめ、現在の建物は明清時代の様式を受け継ぎ、黄色の周壁をめぐらせている。弥勒菩薩の化身である大肚弥勒(布袋和尚)をまつる「天王殿」、主殿にあたり釈迦牟尼仏像を安置する「大雄宝殿」、観音菩

済南旧城外の景勝地の千仏山

断崖に立つ一覧亭、ここから北の済南市街が視界に入る

悟りを得た仏教聖者の十八羅漢

伝説の古代帝王は済南で畑を耕したという、舜祠

薩とその両脇の千手観音、地蔵菩薩がまつられた「観音殿」、横三世仏を安置する「玉仏殿」からなる。

千仏崖摩崖石刻／千佛崖摩崖石刻★☆☆

qiān fú yá mó yá shí kè

せんふつがいまがいせっこく／チィエンフウヤアモオヤアシイカア

　岩肌に石窟を刻んで仏像を安置する様式は、インド(アジャンタ)から中央アジア(バーミヤン)にいたり、中国(敦煌、雲崗、龍門)に伝わった。581年、隋の文帝(楊堅)が即位すると、仏教をもって国をおさめることとし、文帝の生母は済南人だったため、この地で母を記念して仏事を行ない、石窟を彫っていった。こうして隋の開皇年間(587～600年)に千仏崖摩崖石刻が姿を見せるようになり、造像には劉景茂があたった(隋に先立つ、北魏、東魏、北斉といった時代から山東地方には高い水準の仏教芸術があった)。現在は、唐の貞観年間に開鑿された9窟に130あまりの仏像が残り、大きなものは3m、小さなものは20センチほどとなっている。千仏崖の中心にあたる極楽堂の洞内には、高さ3mほどの主尊の阿弥陀仏を中心に、大小20あまりの仏像が見える。水深3mの泉が湧く龍泉洞にも20あまりの仏像があり、黔婁洞は春秋時代の黔婁が隠居していた場所だという。文化大革命のとき、破壊をこうむり、無仏山になったという経緯ののち、整備されて現在の姿となった。

山東省と仏教

　山東省では、五胡十六国(304～439年)時代に仏教が伝わった。高僧の仏図澄が348年に没すると、弟子たちは各地へ布教に向かい、陝西西安の竺僧朗は道教の聖地「泰山」(また近くに儒教の孔子故里「曲阜」を抱える)での布教を決意した。351年、泰山に入った竺僧朗は、その北郊外に朗公寺(四門塔景区神通寺遺跡)を建て、これが実質、山東省最初の仏教寺院となった。

仏教は泰山近郊や青州を中心に栄え、469年、北魏がこの地を併合すると、雲崗石窟に代表される北魏様式の石窟が山東省でも造営されるようになった（鮮卑族の王朝である北魏では、中国伝統の儒教や道教ではない外来の仏教を重んじた）。北魏から東魏、北斉へと時代が遷るにつれて様式は中国化され、華やかな装飾性をもつ仏像も現れた。山東の磨崖仏は、済南、青州、東平の3つの地域に分布していて、青州龍興寺は山東省を代表する古刹だった。また玄奘三蔵に続いて、唐代の671年、海路からインドにいたった義浄（635〜713年）は済南の人である。

弥勒勝苑／弥勒胜苑 ★☆☆

mí lè shèng yuàn

みろくしょうえん／ミイラアシェンユウエン

　千仏山の東麓に位置し、大肚弥勒（布袋和尚）がまつられた弥勒勝苑。布袋和尚は後梁（907〜923年）の高僧で、乞食をしながら各地を遍歴し、人びとからもらったものをすべて大きな袋（布袋）に入れ、どこでもごろっと寝た。布袋和尚は「弥勒さまはときどき世に現れるがそれに誰も気づかない」という遺言を残したことから、やがて弥勒仏の化身と見られるようになった。大きな布袋腹に大きな笑みのたたずまい、財宝の入った大きな袋を抱えた弥勒仏像は、高さ30m（仏像21m、基盤9m）、重さ110トンで、2000年に完成した。銅製の巨大な仏像は、「江北第一大仏」と呼ばれる。

辛亥革命烈士陵園／辛亥革命烈士陵园 ★☆☆

xīn hài gé mìng liè shì líng yuàn

しんがいかくめいれっしりょうえん／シィンハァイガアミィンリエシイリィンユウエン

　1911年の辛亥革命にあたって生命を落とした人びとが眠る辛亥革命烈士陵園（辛亥革命は孫文を中心に、2000年続く王朝体制を破った革命）。この陵園は、1934年に建てられはじめ、途中で中断し、1981年の辛亥革命70周年にあたって、再び整備

が進み、1983年9月に竣工した。辛亥革命当時、山東省で指導的な役割を果たした徐鏡心の墓が残る。

Ji Nan Nan Fang

済南南部城市案内

泰山支脈の伸びる済南南部
豊かな自然にあふれ、屏風のように
緑のベルトが済南市街をおおう

経十路／经十路★☆☆

jīng shí lù
けいじゅうろ／ジンシイルウ

　済南市街の南を東西に走る幹線の経十路。経十路と緯二路が交わるあたりの街区は、戦前の日本占領下に計画されたもので、碁盤の目状の街区が当時のまま残っている（1941年1月に南郊住宅地は完成した。また北郊に工業区の建設を予定した）。現在の経十路は大型ショッピングモールが集まり、高層マンションがならぶ英雄山商圏を形成している。またこの大動脈が済南市街と、東部新城、西部新城を結んでいる。

大仏頭／大佛头★☆☆

dà fó tóu
だいぶつとう／ダアフォトウ

　千仏山の南東2kmに位置する高さ460mの仏慧山。隋（581～619年）代に仏慧山寺が建てられ、唐（618～907年）代に開元寺となり、山東仏教の中心地だった。現在残る開元寺遺跡の奥に、高さ10mの大仏龕があり、高さ7.8m、幅4mの大仏頭が見られる。この大仏頭は北宋時代の1036年のものだとされ、仏像の東壁には「大慈大悲」の4文字が刻まれている。

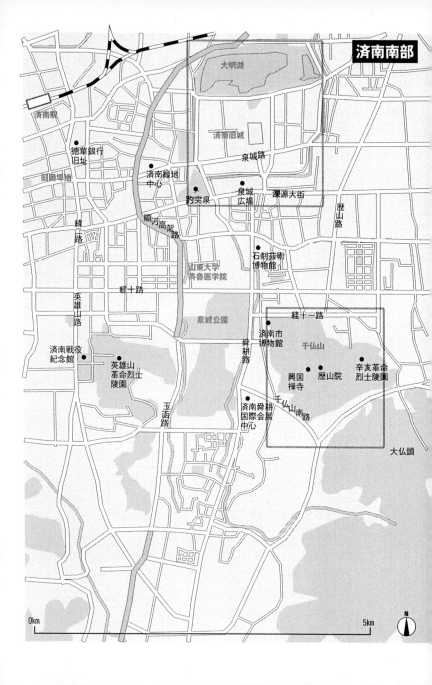

済南南部

済南駅

徳華銀行
旧址

旧商埠地

大明湖

済南旧城

泉城路

緯一路

済南緑地
中心

順河高架路

釣突泉

泉城
広場

濼源大街

歴山路

経十路

山東大学
斉魯医学院

石刻芸術
博物館

英雄山路

泉城公園

経十一路

千仏山

済南戦役
紀念館

舜耕路

済南市
博物館

英雄山
革命烈士
陵園

歴山院

辛亥革命
烈士陵園

興国
禅寺

玉函路

済南舜耕
国際会展
中心

千仏山南路

大仏頭

0km   5km

N

英雄山革命烈士陵園／英雄山革命烈士陵园 ★☆☆

yīng xióng shān gé mìng liè shì líng yuán

えいゆうさんかくめいいれっしりょうえん／インシィオンシャンガアミィンリエシイリィンユゥエン

　　済南南部にそびえる英雄山は、もともと馬鞍山、四里山、五里山などと呼ばれていた。1968年、毛沢東による「革命烈士紀念塔」の刻まれた紀念塔が建てられ、英雄山革命烈士陵園となった（日本統治時代、この地に済南神社があった）。済南で革命活動に従事した王尽美、鄧恩銘などの革命烈士が眠っている。そばには1948年に国民党と共産党のあいだで戦われた済南戦役にまつわる「済南戦役紀念館」も立つ。

泉城公園／泉城公园 ★☆☆

quán chéng gōng yuán

せんじょうこうえん／チュゥエンチャンゴォンユゥエン

　　千仏山の北西側に位置し、済南植物園を前身とする泉城公園。1989年に一般開放され、89科450種類の植物、20万株

こちらは仏教寺院の興国禅寺

千仏山からの眺め、省都済南の街並み

が栽培されている。

済南舜耕国際会展中心／济南舜耕国际会展中心★☆☆
jǐ nán shùn gēng guó jì huì zhǎn zhōng xīn
さいなんしゅんこうこくさいかいてんちゅうしん／ジイナァンシュンガンゥオジイフゥイチャンチョンシィン

済南を訪れる要人を迎える舜耕山荘院に隣接する済南舜耕国際会展中心。展覧大厅、会議厅を中心に休暇施設、レストランをそなえる。周囲には千仏山や泉城公園の豊かな緑が広がる。

済南市博物館／济南市博物馆★☆☆
jǐ nán shì bó wù guǎn
さいなんしはくぶつかん／ジイナァンシイボオウゥグゥアン

済南市博物館は1958年に開館し、当初、趵突泉の敷地にあったが、1997年から千仏山西麓のこの地に遷った。新石器時代の大汶口文化、仏教の四門塔と神通寺、文人の李清照はじめ、済南の古代文化、済南ゆかりの人物や文物の研究と収蔵を行なっている。新石器時代の大汶口から出土した象牙の「回旋紋透彫象牙梳」、春秋時期の魯伯大父(魯貴族)の名前が入った青銅器「魯伯大父媵季姫銅簠」、済南市街北の無影山から出土した漢代の「彩絵陶楽舞雑技俑(彩絵陶器)」などが代表格で、そのほかにも済南旧城西巷から出土した唐宋時代の仏像、明清時代の書画、清代の玉器などを展示する。

山東大学斉魯医学院／山东大学齐鲁医学院★☆☆
shān dōng dà xué qí lǔ yī xué yuàn
さんとうだいがくせいろいがくいん／シャンドォンダアシュエチイルウイイシュエユゥエン

山東大学(旧斉魯大学)は、アメリカ北長老会の宣教師が医学を教えたことをはじまりとし、創建は1864年にさかのぼる。1911年、イギリスの宣教師が現在の場所に土地を買って正式に開校し、当時から「華北第一学府」と呼ばれ、老舎をはじめとする優秀な教授陣も集まった(その後、青島に遷ったり、

また済南に戻ったり、と変遷した)。現在、山東大学斉魯医学院には、1924年建立の「大門」、1915年建立の「和平楼」、1917年建立の「柏根楼」、1919年建立の「考文楼」、1917年建立の「聖保羅楼」など、当時の建築が今でも使用されている。これら西欧と中国の折衷様式の近代建築は、原斉魯大学近現代建築群として保護されている。

山東省石刻芸術博物館／山東省石刻艺术博物馆★☆☆

shān dōng shěng shí kè yì shù bó wù guǎn
さんとうしょうせっこくげいじゅつはくぶつかん／シャンドンシェンシイカアイイシュウボオウグゥアン

　山東省で発掘された石碑、造像、漢代の画像石などの石刻芸術を収集する山東省石刻芸術博物館。漢代の人々の衣服や生活模様の見える画像石、済南の歴史を碑文に刻んだ北魏時代の石碑などを展示し、そのほか調査研究活動も行なっている。1981年に建てられた。

Ji Nan Bei Fang
済南北部城市案内

済南の北側を流れる黄河
かつて済南という地名の由来となった済水と呼ばれ
小清河とともにこの街を育んできた

済南動物園／济南动物园★☆☆
jǐ nán dòng wù yuán
さいなんどうぶつえん／ジイナァンドォンウウユゥエン

　済南市街の北郊外に位置し、1959年に開園した済南動物園。「嚶鳴館」「猛獣区」「草食動物区」「雑食動物区」からなり、金糸猴、アジアゾウ、シベリアンタイガー、パンダ、レッサーパンダといった中国に生息する動物、またライオン、キリン、ゴリラ、チンパンジーなどのアフリカ生まれの動物はじめ、200種類、3000の動物を飼育する。園内は金牛山、金牛湖、小清河、工商河など、豊かな自然にめぐまれていて、金牛山の南麓には花崗岩でつくられた「天下第一牛」の像が立つ（かつては金牛山公園と言った）。

小清河／小清河★☆☆
xiǎo qīng hé
しょうせいが／シャオチンハア

　済南の北側を黄河と並行するように流れ、羊口（羊角溝）で渤海にそそぐ小清河。済南に湧く泉の水や大明湖から流れ出した水が運河を形成し、済南の交通路として活用されてきた。この流れは清河、北清河などと呼ばれて唐宋時代から知られていたが、明代の1473年に浚渫して大運河に接続したことで、済南は水運、物流の要衝として活気を呈した。そ

済南北部

黄河
百里
黄河
黄河洛口
浮橋
洛口
洛口
黄河
鉄橋
済広高速公路
渤海へ

済濼路
濼安路
小清河
渤海へ
北馬
鞍山
済南
動物園
張養
浩墓
師範路
順河高架路
無影山路
済濼路
聯四路
北園大街
堤口路
大明湖
済南駅
済南旧城
相商埠地
0km
3km
N

の後の1889年、盛宣懐の建議で、済南の泉水を使って海まで通じさせ、済南～渤海間を民船が往来できるようになった。海からの塩や小麦などが小清河を使って運ばれたが、この交通路は鉄道の開通とともに役割を終えた。

北馬鞍山／北马鞍山 ★☆☆
běi mǎ ān shān
はくまあんさん／ベイマアアァンシャン

済南北部にあって、東西に続く9つの山「斉煙九点」のひとつの北馬鞍山。済南動物園の西側にそびえる。済南出身の明代の文人で、この地で没した李攀龍(1514～70年)の墓が位置する。

張養浩墓／张养浩墓 ★☆☆
zhāng yǎng hào mù
ちょうようこうぼ／チャンヤァンハァオムウ

元代の済南に生まれた官吏で、また散曲(歌謡文学)の名手だった張養浩(1269～1329年)。宰相としてらつ腕をふるい、官僚や政治家のあるべき姿、道徳を説く『三事忠告』『為政三部書』などの著作を残した(元代は漢人の県令のうえに、モンゴル人のダルガチがおかれた)。張養広墓は高さ1.9mの土をもられた様式で、その前方に牌楼、石獅子が残るほか、明清時代の石碑

が立つ。

黄河／黄河★★☆
huáng hé
こうが／フゥアンハア

　全長5464kmの黄河は、中華文明（黄河文明）を育んだ母なる河。青海省から甘粛省、内蒙古自治区、陝西省、河南省、山東省と湾曲しながら華北を流れ、渤海にそそぐ。中国では「河」は黄河そのものをさし、その文字は殷代の甲骨文字にも見えるという（一方、「江」は、長江をさす）。黄土高原の土砂をふくんで水は黄色くにごり、その水をコップですくうと底に泥が沈泥するほどで、黄河の名前はここに由来する。黄河はたびたび氾濫を起こし、大きく川筋を変えること26度。12世紀から1855年までは徐州を通り、淮河に合流するルート（南流）をとり、1875年以後、北流し、現在の黄河はかつての済水（大清河）を通るようになった。1921年の黄河決壊では、斉河、利津とともに、済南も被害を受け、洪水をふせぐため、長さ3100kmの堤防が築かれている。現在、済南近くの黄河は、百里黄河風景区として整備されているが、黄河の水量は少なく、河口から600kmの開封の地点まで干上がることもあるという。

済水とは

　古代中国では、黄河、淮河、長江とともに四瀆のひとつと称された済水。済水は河南省済源を源流とし、下流は現在の黄河下流にあたった（当時の黄河は現在よりも北を流れ、天津付近で渤海湾にそそいだ）。漢代に名づけられた済南という地名は、この済水の南を意味する。北宋の沈括（1031〜95）は『夢渓筆談』のなかで「済水は伏流（地下を流れる）する。今、歴下（済南）ではどこを掘ってみても、すべて水が流れており、世間では済水がその下を通っているのだい伝えている」と記している。

黄河南北を往来する人たちが見える黄河洛口浮橋

中国を代表する河川の黄河、古くはこの流路を済水と呼んだ

黄河洛口浮橋／黄河洛口浮桥 ★☆☆

huáng hé luò kǒu fú qiáo

こうがらくこううきばし／フゥアンハアルウコォウフウチィアオ

　黄河の南北を結ぶ長さ300mほどの黄河洛口浮橋。黄河に
ならべた船をつなぎあわせて橋にした浮き橋で、車や人が
往来する（洛口＝濼口は古くから黄河の渡河地点だった）。また東1kmに鉄道の通る黄河鉄橋がかかっていて、黄河鉄橋の北側には鵲山がそびえる。

洛口／洛口 ★☆☆

luò kǒu

らくこう／ルウコォウ

　済南市街の北7km、洛口（濼口）は古くからの黄河の渡河地点で、水運の要衝だった。南北朝時代から黄河下流域に渡し場（津）で税がとられるようになり、黄河を通じて済南と各地をジャンク船が往来した。済南のいわば港にあたり、ジャンク船が停泊し、洛口＝濼口の碼頭はにぎわいを見せていた。かつての洛口（濼口）鎮は三方に城壁をめぐらし、一方は黄河堤防によって守られていた（そこには大王廟が位置し、水神がまつられていた）。近代になって鉄道が開通すると、洛口（濼口）はその役割を終えた。

Ji Nan Dong Fang

済南東部城市案内

**済南旧城と近代以来の商埠地
手ぜまになった済南市街の東郊外に
新たな街区をもつ開発区がつくられた**

高新技術開発区／济南高新技术产业开发区★☆☆
jǐ nán gāo xīn jì shù chǎn yè kāi fā qū
こうしんぎじゅつかいはつく／ジイナンガァオシィンジイシュウチャンイエカァイファアチュウ

　済南では、20世紀末から市街東部10kmに開発区が整備
された。東部新城とも呼ばれ、IT産業、電子情報、薬品、バイ
オなどの企業が集まる。また国際会展中心を軸に、左右対称
の街区をもち、少し離れて済南オリンピックスポーツセン
ターも位置する。

国際会展中心／国际会展中心★☆☆
guó jì huì zhǎn zhōng xīn
こくさいかいてんちゅうしん／グゥオジイフゥイチャンチョンシィン

　東部開発区の中心に立つ国際会展中心。山東省で開かれ
るビジネス展示会、国際会議などが行われる。12の展庁を
擁し、ショッピングモールやレストランも併設する。

済南オリンピックスポーツセンター／济南奥林匹克体育中心★☆☆
jǐ nán ào lín pǐ kè tǐ yù zhōng xīn
さいなんおりんぴっくすぽーつせんたー／ジイナンアアリンピイカアティユウチョンシィン

　2009年に竣工した済南オリンピックスポーツセンター。
6万席の座席をもち、サッカーや陸上競技が行なわれる西
側の競技場(西区)と、東側(東区)の体育館、テニスコート、

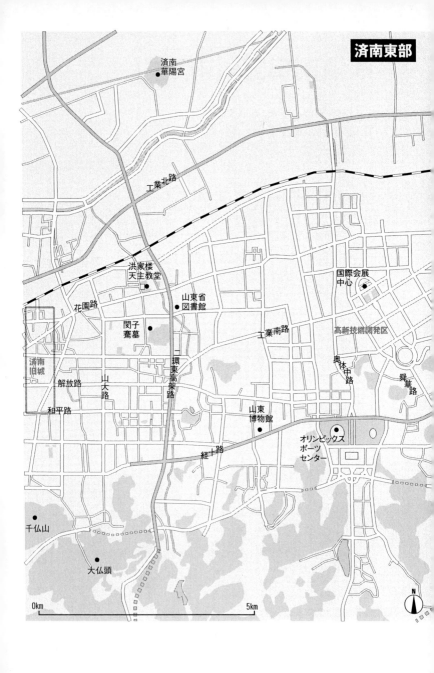

済南東部

済南
華陽宮

工業北路

洪家楼
天主教堂

山東省
図書館

花園路

閔子
騫墓

国際会展
中心

工業南路

高新技術開発区

一環東高架路

済南
旧城

解放路

山大路

奥体中路

舜華路

和平路

山東
博物館

オリンピックス
ポーツ
センター

経十路

千仏山

大仏頭

0km   5km

N

フィットネスなどが一体となっている。西区のスタジアムは済南の市樹である「柳」、東の体育館は済南の市花である「蓮」がイメージされている。

山東博物館／山東博物馆★★☆
shān dōng bó wù guǎn
さんとうはくぶつかん／シャンドォンボオウウグゥアン

山東博物館は、1954年、歴史部門を「紅卍会(上新街)」、自然部門を「広智院(広智院街)」において、東西両院のかたちで設立された。山東省の金石文、青銅器、書画、および広智院の集めていた植物標本などを収蔵していた。1991年に千仏山の北麓に遷ったあと、2010年に東郊外のこの地に開館した。竺僧郎以来の伝統をもち北朝時代の仏像を展示する「仏教造像芸術展」、漢代の地下墓室に刻まれ、当時の人々の姿をうかがえる「漢代画像芸術展」、豊富な歴史を歩んできた山東省の歴史文化を展示する「山東歴史文化展」、明の魯王朱檀墓から出土した遺構をならべる「魯王之宝(明朱檀墓出土文物精品展)」、後李文化、北辛文化、大汶口文化、龍山文化など、この地方の新石器時代の「考古山東(話説考古)」や「山東考古成果展」、アフリカの野生動物にまつわる「非洲野生動物大

遷徙展」からなる。中国でも早期の絵画で、芸術水準の高い「東平漢墓壁画」、大汶口文化(新石器時代)の実用器「紅陶獣形壺」、商代の王権の象徴である「亜醜戊」、周代の152の文字が刻まれた青銅器「頌簋」、戦国時代の曲阜魯国で使われた天地の礼器「魯国大玉璧」、1972年に出土した《孫子兵法》《孫臏兵法》の「竹簡」、清代の書画「鄭燮双松図軸」などを収蔵する。

洪家楼天主教堂／洪家楼天主教堂★★☆
hóng jiā lóu tiān zhǔ jiào táng
こうかろうてんしゅきょうどう／ホォンジァロォウティアンチュウジィアオタァン

　　済南東郊外の洪家楼に立つゴシック様式の大聖堂(キリスト教会)。清朝末期、キリスト教宣教師は済南市街から離れた洪家楼村に拠点をおき、村の名前を冠した教会を建てた(明代の1573年にはここに村があったという)。1902年に建設がはじまり、1905年に完成した山東省最大規模の西欧建築で、済南を代表する建物にもあげられる。洪楼広場を前に、東西67.9m、南北24.1m、ふたつの尖塔の高さは55mで、頂部には巨大な十字架がかかる。西欧建築のなかには各所に中国式の石彫り、花飾りも見られる。

閔子騫墓／閔子骞墓★☆☆
mǐn zǐ qiān mù
びんしけんぼ／ミィンツウチィエンムウ

　　孔門の十哲のひとりである閔子騫をまつる閔子騫墓。閔子騫は春秋時代の魯国の人で、済南には閔子書院もあった。直径5m、高さ3mほどにもられた墓が残り、その前方には石獣がおかれている。百花公園の西側に位置する。

街の東郊外に遷って開館した山東博物館(高さ74m)

新市街に立つ済南オリンピックスポーツセンター

山東省図書館／山东省图书馆 ★☆☆

shān dōng shěng tú shū guǎn

さんとうしょうとしょかん／シャンドォンシェントゥシュウグゥアン

　清朝末期(1909年)に創建をさかのぼる山東省図書館。提学使羅順循が大明湖にあった貢院の一部を改造して、図書館としたのをはじまりとする(山東省図書館の前身で、現在の分館)。山東省図書館は「魯図(山東省古名の魯の図書館)」とも呼ばれ、一般書のほかに、書や金石文も収集する。この図書館のある二環東路の近くは、山東大学が位置する文教地区となっている。

済南華陽宮／济南华阳宫 ★☆☆

jǐ nán huá yáng gōng

さいなんかようきゅう／ジイナァンフゥアヤァンゴォン

　東華山の南麓、古柏の木が茂るなか位置する道教寺院の済南華陽宮。華陽宮とは「華山の陽(南)の宮」を意味し、それぞれ独立した9か所の建築がひとつの華陽宮をつくる。玉皇大帝はじめ、春(句芒)、夏(祝融)、秋(蓐収)、冬(玄冥)の四季の神像がまつられた大殿(四季殿)はじめ、棉花殿、龍王廟、三皇殿、三元宮、関帝廟、泰山行宮などが立つ。

Ji Nan Xi Fang
済南西部城市案内

近代、旧城西に新市街の商埠地がつくられた
現在では、さらにその西郊外に西部新城が整備され
北京と上海を結ぶ高鉄が走る

八里橋野菜卸売市場／八里桥蔬菜批发市场★☆☆
bā lǐ qiáo shū cài pī fā shì chǎng
はちりきょうやさいおろしうりしじょう／バアリイチィアオシュウツァイピイファアシイチァアン

　市街北西部に位置し、済南最大の野菜市場の八里橋野菜
卸売市場。済南は、黄河の形成した肥沃な農土、豊富な地下
資源、農業に適した気候をもち、小麦、トウモロコシ、豆類、
落花生、綿花など、農産品の集散地となってきた(山東省は全国
有数の農産物の産出地)。八里橋野菜卸売市場では、済南や山東
省各地から集まった100種類以上の野菜がならび、卸売のほ
か、小売のあつかいもある。買い付けに訪れるトラックの姿
が見られ、ここから野菜が山東省のほか河南省へも輸出さ
れていくという。

匡山／匡山★☆☆
kuǎng shān
きょうさん／クゥアンシャン

　南の千仏山から北の黄河のほうを望むと9つの山がそび
え、それらを斉煙九点と呼ぶ。匡山はそのうちもっとも西に
あり、高くはないものの、平原のなかで屹立して、多くの奇
石巨石が散らばっている。ここは唐の李白(701〜762年)の読
書の場所として知られ、李白は杜甫とともに山東省を放浪
するなかで、各地で詩を詠んだ(『古風・昔我游斉都』や済南太守と

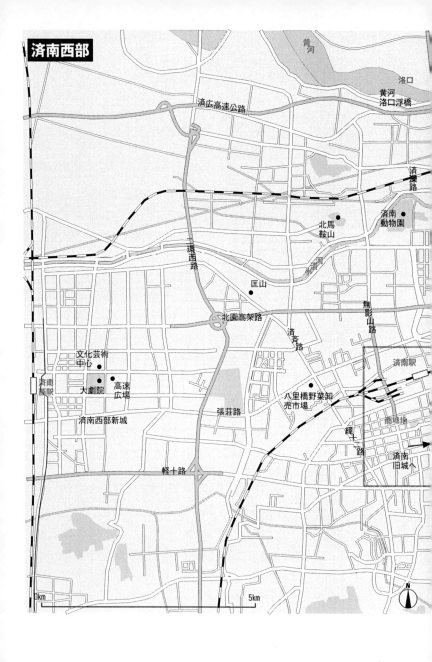

済南西部

黄河

洛口
黄河
洛口浮橋

済広高速公路

済緯路

北馬鞍山

済南
動物園

環西路

匡山

北園高架路

無影山路

文化芸術
中心

済育路

済南駅

済南
緯路
西駅

大劇院

高速
広場

八里橋野菜卸
売市場

南塊場

済南西部新城

張荘路

緯十
路

済南
旧城へ

軽十路

0km

5km

N

ともに訪れた『鵲山湖三首』がある)。

済南西部新城／济南西部新城★☆☆
jǐ nán xī bù xīn chéng
さいなんせいぶしんじょう／ジイナァンシイブウシィンチャアン

　　済南市街の西郊外、高速鉄道の通る済南西駅を中心に開
発された済南西部新城。整った街区に高層ビル、大型商業施
設、文化芸術センターなどが集まり、済南CBDを形成する
(新商埠地とも言える)。また市街部に腊山湖公園をはじめとす
る緑地を抱え、北宋時代に建てられた古い興福寺も残る。

山東省都文化芸術中心／山东省会文化艺术中心★★☆
shān dōng shěng huì wén huà yì shù zhōng xīn
さんとんしょうとぶんかげいじゅつちゅうしん／シャンドォンシェンフゥイウェンフゥアイイシュウチョンシィン

　　山東省都文化芸術中心は、済南西部新城の中心部に集ま
る山東省都大劇院、済南市美術館、済南市図書館新館といっ
た施設の総称。巨大な現代建築がならび、演劇、美術、音楽な
どが催されるほか、周囲に書店や映画館を抱え、済南の文化
発信の場となっている。

山東高速広場／山东高速广场 ★☆☆

shān dōng gāo sù guǎng chǎng
さんとうこうそくひろば／シャンドンガァオスウグゥアンチァアン

　済南西部新城の中心に位置する山東高速広場。高さ200m
の2号楼のそばに1号楼、3号楼が立つ。ビジネスオフィスや
ホテル、商業施設が入居する。

山東省都大劇院／山东省会大剧院 ★☆☆

shān dōng shěng huì dà jù yuàn
さんとうしょうとだいげきいん／シャンドォンシェンフゥイダアジウユゥエン

　クラシックコンサート、演劇、歌劇などが開かれる山東省
都大劇院。済南では明清時代から東関と南関で曲芸が行な
われるなど芸能が盛んで、南曲をもとに清代の北京で完成
した山東京劇や、『逼婚記』『姉妹易嫁』など山東省の方言が
使われる地方劇の呂劇が開催される。この山東省都大劇院
を設計したのは、北京の国家大劇院も設計したフランス人
ポール・アンドリューで、「岱青海藍」をテーマとする(『岱青』
は杜甫『望岳』の「岱宗夫如何、斉魯青未了」、「海藍」は三方向を海に囲まれ
た山東省の自然を意味する)。歌劇庁、音楽庁、演芸庁からなり、3
つの球体がならぶ姿は、3つの泉の湧く趵突泉にも重ねあわ
される。

Dong Jiao Qu
東郊外城市案内

済南東郊外は、城子崖遺跡や東平陵故城など
より古い歴史的遺構が残る
大学城や動物園、植物園も位置する

章丘／章丘 ★☆☆
zhāng qiū
しょうきゅう／チャァンチィウ

　済南東郊外に位置する章丘は、古くは龍山文化の発祥地
で、「小泉城」とも「小斉州」とも呼ばれる（晋代に遡る以前の済
南は、ここ章丘にあった）。章丘は宋（960～1279年）代以後、明清時
代を通じて済南府に属し、現在も済南の衛星都市となって
いる。済南の72名泉のひとつにあげられる「百脈泉」、古刹
の「興国寺」が残るほか、郊外には龍山文化の「城子崖遺跡」、
1371年に朱氏が移住して以来の斉魯第一古邑「朱家峪古
村」などが位置する。

章丘大学城／章丘大学城 ★☆☆
zhāng qiū dà xué chéng
しょうきゅうだいがくじょう／チャァンチィウダアシュウエチァアン

　済南の東郊外40kmに位置する複数の大学が集まる大学城
（章丘大学城）。山東省の省都で、多くの大学のキャンパスがあ
る済南は、文教都市としての顔も知られる。2000年から高
等教育を中心とする大学城が大都市郊外に整備され、芙蓉
大道を中心に農村地帯は、学生たちが多く暮らす大学街と
なった。

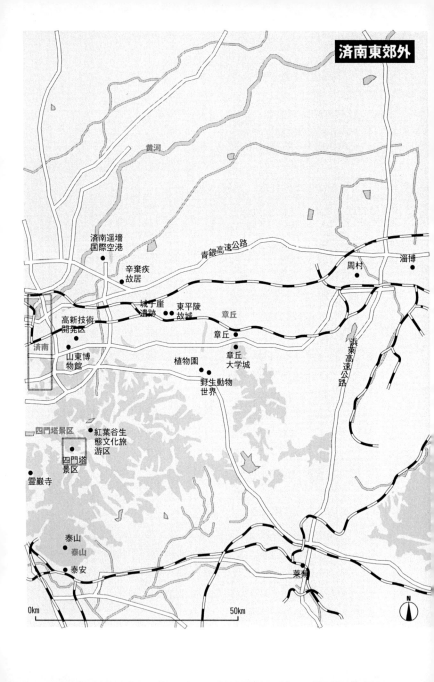

黄河

済南遥墻
国際空港

辛棄疾
故居

青銀高速公路

周村

淄博

城子崖
遺跡

東平陵
故城

章丘

高新技術
開発区

済南

章丘

章丘
大学城

山東博
物館

植物園

野生動物
世界

浜莱高速公路

四門塔景区

紅葉谷生
態文化旅
游区

四門塔
景区

霊巌寺

泰山

泰山

泰安

莱蕪

0km

50km

N

済南野生動物世界／济南野生动物世界★☆☆
jǐ nán yě shēng dòng wù shì jiè
さいなんやせいどうぶつせかい／ジイナァンイェシェンドォンウゥシイジエ

　動物が放し飼いにされ、サファリ形式で楽しむことができる済南野生動物世界。サーカスの行なわれる「国際大馬戯」、ゴリラやレッサーパンダのいる「林梢王国」、パンダに会える「熊猫館」、象のいる「吉象領地」のほか、乗車遊覧区では、ラクダやヤクの「高寒山地」、トラやライオンと出会える「狂野地帯」などがある。

済南植物園／济南植物园★☆☆
jǐ nán zhí wù yuán
さいなんしょくぶつえん／ジイナァンチイウウユゥエン

　章丘南西部の緑豊かな地に位置し、済南野生動物世界に隣接する済南植物園。「桜花園」「海棠園」「紫薇園」「牡丹園」「木蘭園」「香草園」からなり、四季折々の花に彩られている。2006年に開館した。

★★☆
四門塔景区／四门塔景区 スゥメンタアジィンチュウ
霊巌寺／灵岩寺 リィエンイエンスウ
山東博物館／山东博物馆 シャンドォンボオウゥグゥアン
黄河／黄河 フゥアンハア

★☆☆
章丘／章丘 チャアンチィウ
章丘大学城／章丘大学城 ダアシュウエチァアン
済南野生動物世界／济南野生动物世界 ジイナァンイェシェンドォンウゥシイジエ
済南植物園／济南植物园 ジイナァンチイウウユゥエン
城子崖遺跡／城子崖遗址 チャアンツゥヤアイイチイ
東平陵故城／东平陵故城 ドォンピンリィングゥチァアン
辛棄疾故居／辛弃疾故居 シィンチイジイグウジュウ
高新技術開発区／济南高新技产业开发区 ジイナァンガァオシィンジイシュウチャンイエカァイファアチュウ

城子崖遺跡／城子崖遗址 ★☆☆

chéng zǐ yá yí zhǐ

じょうしがいいせき／チァアンツウヤアイイチイ

　済南の東35km、済南と淄博を結ぶ街道上に位置する城子崖遺跡は、1928年に発見された。龍山鎮の東側に武原河が流れ、その対岸の小さな台地に、南北450m、東西390mの土を固めてつくった土城壁が残っていた。ここから黒陶器、石器、骨器、三足盤、高柄豆(食器)、鼎などが発掘され、新石器時代末期の紀元前2500年から前1700年ごろまでの龍山文化の「発見」の発端になった。この龍山文化(山東龍山文化)は先に山東省にあった大汶口文化を継承し、黄河下流域を中心に北は遼東半島、淮河流域といった各地に広がっていた。酒器をともなった上層階層の埋葬、動物の骨を焼いて吉凶を占う風習、また階層構造の維持装置として、儀礼も生まれたという(二里頭文化＝夏王朝が山東の文化系統を伝え、のちの殷へつながっていた)。龍山文化の土器は黒陶、灰陶、白陶に分類され、なかでも漆黒土器の美しさが知られた。1994年、城子崖遺跡のそばに城子崖遺跡博物館が開館した。

東平陵故城／东平陵故城 ★☆☆

dōng píng líng gù chéng

とうへいりょうこじょう／ドォンビンリィングウチァアン

　城子崖遺跡の東2kmに位置する龍山鎮の東平陵故城(東平陵)。紀元前204年におかれた済南郡は、この東平陵城にあり、「済水の南」を意味する済南は、晋代まで東平陵故城を指した。長さ2000mの城壁をめぐらせ、歴代の郡治、県城として栄えたが、晋代、現在の済南の地に政治の中心が遷り、815年には破棄された。三国志の曹操孟徳が29歳のときに東平陵故城に勤務しているほか、新の王莽がこの東平陵を拠点としていたことがある。

辛棄疾故居／辛弃疾故居 ★☆☆

xīn qì jí gù jū

しんきしつこきょ／シィンチイジイグウジュウ

　　辛棄疾(1140～1207年)は済南東北郊外の遥墻鎮に生まれた。当時の済南は、北方の女真族に占領されていて、辛棄疾は1161年に武装蜂起したが失敗し、南宋へ逃れた。辛棄疾は、南宋で強硬派となり、のちに民族の英雄と見られるようになった。現在は辛棄疾故居として整備され、牌楼、四合院様式の建物、辛棄疾の像が立つ。

済南の仏教伝統は五胡十六国時代にさかのぼる

神通寺遺跡や四門塔からの出土品を収蔵する済南市博物館

南郊外城市案内

泰山に続いていく済南の南郊外
長らく山東省の仏教拠点だったところで
美しい四門塔や千仏崖造像が残る

四門塔景区／四门塔景区★★☆
sì mén tǎ jǐng qū
しもんとうけいく／スウメンタアジィンチュウ

　済南南郊外、南に泰山をのぞむ柳埠は、長らく山東仏教の拠点として知られてきた（道教の聖地である泰山の近くにあえて仏教拠点がつくられた）。4世紀の東晋時代に創建された山東省ではじめての仏教寺院の「神通寺遺跡」が残り、611年に建てられた「四門塔」、唐初、二百あまりの仏像が彫られた「千仏崖造像」、龍、虎、飛天などを浮き彫りにした「龍虎塔」をあわせて、「四門塔景区（歴城区仏教遺跡）」となっている。

神通寺遺跡／神通寺遗址★☆☆
shén tōng sì yí zhǐ
じんつうじいせき／シェントォンスウイイチイ

　神通寺遺跡は、351年に山東省ではじめて建てられた仏教寺院の遺構。五胡十六国時代、仏図澄の弟子であった竺僧朗は、この地に最初の精舎を立て、それは朗公寺と呼ばれた。この寺は隋の煬帝のとき、神通寺と改称され、ときの権力者たちが伽藍を増築していき、元代まで山東省仏教の中心地として栄えた。

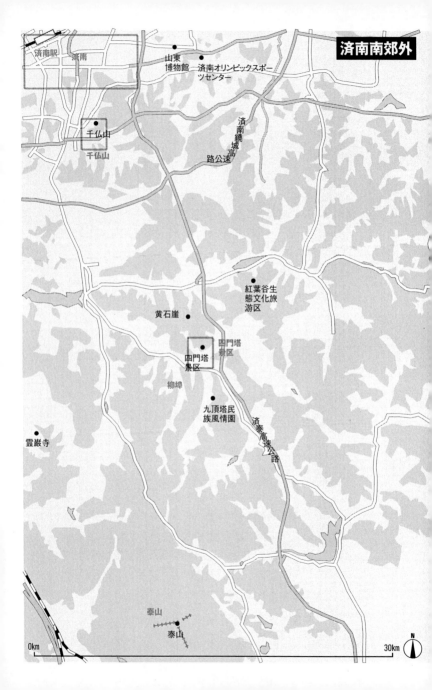

済南駅
済南

山東
博物館
済南オリンピックスポー
ツセンター

千仏山
千仏山

済南繞城高
路公速

紅葉谷生
態文化旅
游区

黄石崖

四門塔
景区
四門塔
景区

柳埠

九頂塔民
族風情園

済泰高速
公路

霊巌寺

泰山
泰山

0km

30km

N

四門塔／四门塔 ★★☆

sì mén tǎ

しもんとう／スウメンタア

　神通寺遺跡の東側に立つ高さ15.04m、一辺7.4mの四門塔。隋代の611年に建設された方形の石塔で、もとは仏舎利（ブッダの遺灰）を入れる舎利塔だった。四面にそれぞれアーチ型の門を備えることから、宋代に「四門塔」と呼ばれるようになった。この様式の塔では、中国に現存するもっとも古いものとなっている。

竺僧郎の布教

　仏図澄（〜348年）の死後、弟子たちは各地に赴いて仏教の布教をすることになり、そのうち竺僧郎は、儒教（曲阜）、道教（泰山）の聖地がある山東省に赴いた。351年、泰山北西の崑瑞山に最初の精舎（朗公寺、のちの神通寺）を建て、竺僧郎は仏典を漢訳することではなく、教団をつくることで、布教にあたった。竺僧郎が拠点を構えたこの金輿谷は、当初、虎の出没する危険地帯だったが、竺僧郎が住んで以来、虎は人に危害を加えず、夜でも安全になったことから、人びとはこの谷を「朗公谷」と呼ぶようになった。また近くの山を切り開き、霊厳寺の建設をはじめ、そこは霊が宿り、説法を聞く者1000人あまりとなった（まわりの石も感動してうなずいたことから、「霊厳

★★★

千仏山／千佛山 チィエンフウシャン

★★☆

四門塔景区／四门塔景区 スウメンタアジィンチュウ

霊厳寺／灵岩寺 リィエンイエンスウ

山東博物館／山东博物馆 シャンドォンボオウグゥアン

★☆☆

黄石崖／黄石崖 フゥアンシイヤア

九頂塔民族風情園／九顶塔民族风情园 ジィウディンタアミィンズウフェンチンユゥエン

紅葉谷生態文化旅游区／红叶谷生态文化旅游区 ホォンイエグゥウシェンタァイウェンフゥアリュウヨォウチュウ

済南オリンピックスポーツセンター／济南奥林匹克体育中心 ジイナァンアアリィンピイカアティユウチョンシン

済南鉄道駅／济南火车站 ジイナァンフゥオチァアジアン

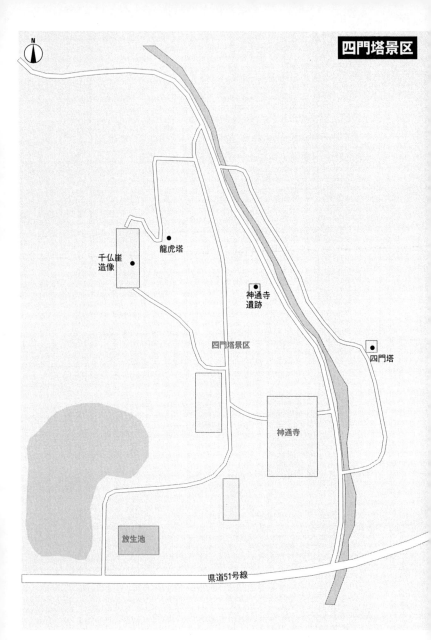

N

千仏崖
造像

龍虎塔

神通寺
遺跡

四門塔景区

四門塔

神通寺

放生池

県道51号線

寺」と呼ばれるようになったという）。竺僧朗の高名は都長安にも聞こえ、前秦皇帝苻堅は諸官をおくり、都へ迎えようとしたが、竺僧朗は体力の衰えを理由に断った。泰山を本拠とする教団を組織した竺僧朗は、のちの世で評価された。

千仏崖造像／千佛崖造像★☆☆
qiān fú yá zào xiàng
せんぶつがいぞうぞう／チィエンフウヤアザァオシィアン

南北65m、高さ50mの断崖に刻まれた大小100あまりの石窟に残る千仏崖造像。唐の太宗李世民(598～649年)の三女である南平公主が657年に造営したもので、以後、唐、宋、元、明、各年代に開鑿が続いた。主要な石窟は5つあり、あわせて造像210尊が残る。

龍虎塔／龙虎塔★☆☆
lóng hǔ tǎ
りゅうことう／ロォンフウタア

四門塔景区の一角に立つ高さ12.2m、3層の龍虎塔。塔身に龍、虎、飛天など、精緻な浮き彫りが見られる。唐代に建てられ、塔の背後には歴代和尚の墓標が残る。

黄石崖／黄石崖★☆☆
huáng shí yá
こうせきがい／フゥアンシイヤア

海抜350m、済南南東郊外の崖と石窟に刻まれた仏像群が見られる黄石崖(黄色の石の断崖)。1980年代以降、まとまって

仏教造像が出土し、それらは北魏の523年から東魏の540年のあいだのものとされる。洞窟内には立像、坐像、飛天あわせて32尊が残り、外側には68の仏像が彫られている。

九頂塔民族風情園／九顶塔民族风情园★☆☆
jiǔ dǐng tǎ mín zú fēng qíng yuán
きゅうちょうとうみんぞくふぜいえん／ジィウディンタアミンズウフェンチンユゥエン

霊鷲山西麓に唐代創建の九塔寺があり、現在は九頂塔民族風情園として開園している。高さ13.3m、9つの頂きをもつ塔の九頂塔が現存する（単層八角のプランをもち、8つの角にそれぞれ3層、高さ2.84mの方塔が載り、その中央に高さ5.3mの塔が立つ）。この九頂塔を中心に、現在はタイ族やチベット族、ウイグル族、モンゴル族、ハニ族、イ族など、中国の少数民族を紹介するテーマパークとなっている。

紅葉谷生態文化旅游区／红叶谷生态文化旅游区★☆☆
hóng yè gǔ shēng tài wén huà lǚ yóu qū
こうよくこくせいたいぶんかりょゆうく／ホオンイエグウシェンタァイウェンフゥアリュウヨウチゥウ

済南から33km、緑豊かな自然に包まれた紅葉谷生態旅游区。高さ29.5m、7層の「万葉塔」、隋唐時代にさかえた「興教寺」、明清時代の牌坊が残る「絢秋湖景群」、多くの藤蔓の植物が800m続く「情人谷」、谷の深さ200mあまり、幅8mの滝が見られる「香巴拉休閑谷（チベット語で美しい場所を意味する）」、20種類以上、30万あまりの梅の花が栽培された「梅園」、50種類以上、100万株の金香花が見られる「欧州風情谷」、愛を主題にした30を超す品種の百合がならぶ「百合園」などからなる。2001年、正式に開園となった。

南西郊外城市案内

済南南西は長清と呼ばれるエリア
中国を代表する古刹の霊巌寺や
孝堂山郭氏墓石祠、大峰山斉長城などが位置する

長清／长清 ★☆☆
zhǎng qīng
ちょうせい／チャァンチィン

　泰山の支脈が伸びる済南南西部に位置し、西に黄河の流れる長清。魯中の三山のうち、霊巌、五峰山を擁し、もうひとつの泰山へも近い。斉長城や霊巌寺といった遺構が残るほか、仏教僧義浄(635〜713年)の故郷でもある。

園博園／园博园 ★☆☆
yuán bó yuán
えんはくえん／ユゥエンボオユゥエン

　豊かな自然に包まれた大学科技園に位置する済南国際園博園。1962年に建設されたダムを利用して、2008年に建設され、2009年の済南国際園林花卉博覧会の舞台となった。長清湖の周囲に「台地園」「湿地園」「落霞園」「原心学書院」「休閑娯楽園」「主展館」が位置し、さまざまな花や水生植物、中国各地の庭園が見られる。

霊巌寺／灵岩寺 ★★☆
líng yán sì
れいがんじ／リィエンイエンスウ

　五胡十六国時代、山東泰山地区を拠点に仏教布教を行

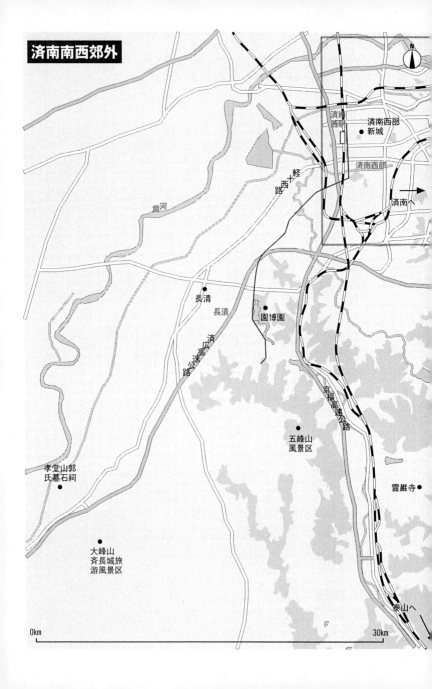

済南南西郊外

N

済南
西駅

済南西部
新城

済南西部

済南へ

軽
工
西
路

黄河

長清

長清

園博園

済
菏
高
速
公
路

京
福
高
速
公
路

五峰山
風景区

孝堂山郭
氏墓石祠

霊巌寺

大峰山
斉長城旅
游風景区

泰山へ

0km

30km

なった竺僧朗ゆかりの霊巌寺。晋代からこの地では仏教活動が行なわれていて、4世紀、竺僧朗がここに骨を埋める覚悟で、山を切り開き、霊巌寺を建設、山東の仏教教団を整備した。霊巌寺という名称は、竺僧朗が説法すると猛獣はひれふし、岩石がうなずいたからとも、山の最高地点に巨大な岩石があるからともいう。隋の文帝や、唐の高宗と皇后の則天武后などが滞在し、唐宋時代の最盛期は、僧侶500人を擁したという。また宋代以後は、天台国清寺、荆州玉泉寺、南京棲霞寺とならんで「天下四絶」と言われ、1008年、宋の真宗は四絶の最先とした。1267年、元のフビライ・ハンが税金を免除して普覚大禅師の称号を送り、清の乾隆帝もたびたび訪れるなど、歴代皇帝が霊巌寺を駐蹕地とした（泰山の裏側にあたり、皇帝たちが泰山に登った後、しばしば足を伸ばして滞在した）。

霊巌寺の構成

霊巌寺は済南から南西に35km、南に泰山をのぞむ地に伽藍が残る。最盛時には50あまりの殿閣、500の禅房、500人の僧侶を擁した中国有数の古刹として知られる。元代の山門で、布袋和尚のまつられた「天王殿」、宋代の「大雄宝殿」、唐代に建立され、1056年、1587年に修建された主殿の「千仏殿」と伽藍が続く。千仏殿には高さ5.46mの毘盧遮那仏を中心に、三尊象が安置され、またここにならぶ宋代の羅漢像40体のうち28尊が竺僧朗だという（梁啓超は、「海内第一名塑」と称し

た）。霊厳寺のシンボル「辟支塔」は、753年に建てられたが、現在の塔は宋代の994年創建で、八角のプランをもち、高さ52.4m（9層）となっている。この寺の西に、唐代以来の霊厳寺住持の墓塔167座が残る「墓塔林」が位置し、うち最大は高さ5.3mになる。また霊厳寺周囲には、済南72の泉のひとつ袈裟泉泉群はじめ、白鶴泉、双鶴泉、卓錫泉も見える。日本の越州の人で、1327年に中国に渡り、1347年に帰国した臨済宗の一派、邵元による1341年の碑文も残っている。

五峰山風景区／五峰山风景区★☆☆
wǔ fēng shān fēng jǐng qū
ごほうざんふうけいく／ウウフェンシャンフェンジンチュウ

　高さ395mの五峰山を中心に、景勝地の点在する五峰山風景区。泰山、霊厳とあわせて魯中の三山といい、道教全真教の霊場として知られてきた。迎仙峰、望仙峰、会仙峰、志仙峰、群仙峰の5つの峰の麓に、明代創建の「玉皇殿」はじめ「碧霞宮」「真武殿」といった道観、「更鶏橋」「迎仙橋」などの橋、「銀杏樹」「思郷樹」といった樹木が点在する。

孝堂山郭氏墓石祠／孝堂山郭氏墓石祠★☆☆
xiào táng shān guō shì mù shí cí
こうどうさんかくしぼせきし／シィアオタァンシャングゥオシイムウシイツウ

　後漢の孝子郭巨の墓と伝えられる孝堂山郭氏墓石祠。食べるものに困った貧しい家の母親のために、子どもを埋めようと穴を掘ると、黄金が出たという故事の孝子郭巨がまつられている（『天、孝子郭巨に賜う』と記されていた）。東西3.8m、南北2.08m、高さ2.63mの切り妻型の石祠で、この様式では中国最古のものとされる。また石祠には、「王公出巡図画」「宴飲享楽図」「伏羲女媧図」など漢代の画像石が見え、129年の参観題記、隴東王が570年に刻ませた「感孝頌」も残る。

大峰山斉長城旅游風景区／大峰山齐长城旅游风景区 ★☆☆

dà fēng shān qí cháng chéng lǚ yóu fēng jǐng qū

さいほうさんせいちょうじょうりょゆうふうけい／ダアフェンシャンチイチャンチャアンリュウヨウフェンジィンチュウ

　　海抜446.9mの大峰山を中心に、景勝地が点在する大峰山斉長城旅游風景区。春秋戦国時代の斉長城は紀元前685年に築かれ、長清南部から泰安、淄博、濰坊、琅邪まで続いていた(春秋戦国時代の各地の長城をつなぎあわせて万里の長城が完成した)。現在のものは新たにつくられ、大峰山の稜線にそって1500mにわたって高さ5m、厚さ2.5mの長城が続く。またここは中国共産党が革命活動をした場所でもあり、大峰山革命遺跡が残る。

Machi No Utsurikawari

城市のうつりかわり

龍山文化や帝王舜の故事
華北有数の伝統をもつ済南は
明清時代以来の山東省の省都でもある

古代～漢代 (～3世紀)

　紀元前4000年ごろから、黄河下流域には東夷と呼ばれる
人たちが暮らし、済南東郊外30kmの城子崖遺跡(龍山鎮)は新
石器時代の龍山文化(紀元前2500年～前1700年)の発祥地と知ら
れる。当時、この地は中国有数の文化先進地で、殷代には城
子崖遺跡に潭国があり、済南千仏山(歴山)の麓で、古代中国
の帝王である舜が(即位前に)畑を耕したという伝説が残る。
やがて春秋戦国時代、斉国の統治下となり、済南は斉の西の
果ての要衝で、紀元前557年、晋と斉の戦いで「濼」の名前が
見える。済南は濼、濼邑や歴下邑の名前で呼ばれ、「斉の叔
姫」とか「魯の白大父」といった銘文のある青銅器が発掘さ
れていることから、済南の地はちょうど斉と魯のはざまに
あたっていた(済南市の南郊外は、魯国の版図だった)。済南という
名称は、漢の紀元前186年、「済水(現在の黄河)以南」というと
ころからはじめて出て、紀元前164年、漢の文帝が済南国を
つくった。また曹操孟徳が済南に任じられていたが、この済
南は済南東郊外30km、城子崖遺跡近くの東平陵故城にあっ
た。

晋五胡十六国隋唐 (4〜10世紀)

　西晋の永嘉年間(307〜312年)、永嘉の乱が起こり、華北が混乱する時代にあって、済南郡治は東平陵から歴城(現在の済南)に遷った。当時、青州刺史をつとめた曹嶷が広固城を造営して、山東省に強力な基盤を築き、以後、青州が山東省の中心となった。華北に侵入した北方民族と南方の漢族王朝が対立する南北朝時代を迎えるなか、前燕(北朝)と東晋(南朝)のあいだで、済南の争奪戦が行なわれたが、やがて北魏(北朝)の領地になった。北魏は469年、済南郡を斉州と改名し、続く隋唐時代にも、斉州は山東半島の要衝の地位をたもっていた(隋は斉郡とし、唐では斉州または済南郡といった)。この時代に千仏山に石窟が彫られるなど、華やかな仏教文化が咲き誇った。唐代後期の安史の乱以後、藩鎮の統治区となり、唐代と続く宋代は商業都市としての性格を強めた。

宋元金 (10〜13世紀)

　宋代、済南太守となった曾鞏(1019〜83年)が大明湖の水利を整備するなど、良政を行なった。1116年、済南は府へと昇格し、山東省の中心都市へと成長を遂げた。宋から金への交替期、金の宗室で元帥のダランは、済南を包囲し、知府の劉予を降伏させ、一時的に傀儡国「斉」が樹立された。この時代、北方民族の金、漢族の南宋、漢人軍閥もからんで、済南の争奪戦が行なわれたが、金が済南を統治すると、済南72泉が謳われ、それは現在まで続いている。金はこの地域を山東東路(益都)、山東西路(東平)にわけ、山東省の名前はここからとられている。元代の済南は、北京を囲む腹里(近畿地方)の一角となり、北京への南大門にあたった(また金統治下の済南で育ち、反乱を起こした辛棄疾、1262年、モンゴル＝元へ反旗をひるがえした李壇の乱など、統治する北方民族への反乱も起きた)。元代では、科挙がなくなったため、漢族は文学に力をそそぎ、元曲と呼ばれる戯

活気ある山東省の省都

草包包子は済南を代表する小吃(肉まん)の老舗

夜の泉城広場でライトアップされた泉標

済南三大景勝地のひとつ千仏山にて

曲が編み出され、済南でも演じられた。北方民族の金や元で
はわかりやすい戯曲が好まれ、また当時、西方世界からそれ
までにない音が入ってきたこともその背景にあった。

明清（14〜20世紀）

　元代、山東最大の統治拠点は青州（益都）にあり、引き続き、
明代（1368年）も山東省の省都は青州におかれた。1376年、大
運河、北京と江南への地の利から省都は済南に遷り、土城を
改め、すべて磚をもちいて新たな城壁が建てられた。済南旧
城の中心に、王族の暮らす徳王府がおかれたが、実際の行政
は中央から派遣された官僚の布政使によって行なわれた。
明代、山東省各地で収穫される作物の集散地となり、済南は
大いに発展した。明清交替期の1639年、済南は清軍によっ
て焼き払われ、徳王は捕らえられた（済南城の陥落で、明朝は傾い
た）。清が北京に都を定めると、済南には山東巡撫を駐屯さ
せて、華北行政の中心地となった。1840〜42年のアヘン戦
争以後、西欧が中国沿岸部に進出するなかで、中国側は山東
巡撫周馥と袁世凱らがはかって、1904年、外国との通商のた
め商埠地（済南旧城の西側）を築き、自ら済南を海外へ開いた。
そして済南と青島を結ぶ膠済鉄道がドイツの手によって
敷かれたことで、済南の農産物の輸出、手工業も盛んになっ
た。

近現代（20世紀〜）

　東西の膠済鉄道と、南北の津浦鉄道の接続地となってか
ら、済南の商業は殷賑をきわめた。1911年、中華民国時代に
入ると済南府は廃され、済南は歴城県となったが、1930年
に市制がしかれ、済南市と称した。第一次世界大戦（1914〜18
年）でドイツの権益を譲り受けた日本にとって、山東省や済
南は中国進出の拠点となっていた。当時、軍閥の張宗昌政権

(1924〜28年) があったが、1928年の蒋介石の国民党軍による北伐を受けて退却。このとき日本軍が居留民保護の名目で軍を派遣し、済南事件が起こっている (日本軍と国民党軍の軍事衝突)。1937年に日中戦争がはじまると、済南も日本軍によって占領され、その後の国共内戦をへて1948年に済南が解放された。引き続き、山東省の省都となった済南では、工作機械、自動車など重工業が発展し、また山東省の農産物の集散地という性格も続いた。済南旧城と商埠地はひとつながりとなり、20世紀後半の改革開放以後、済南の東部郊外と西部郊外に開発区がつくられて、巨大な済南経済圏を形成するようになった。

城市のうつりかわり

『泉城済南』(王铁志主编/山东友谊出版社)

『泉文化：済南』(戴永夏/山东友谊出版社)

『済南城市民俗』(山曼主编/済南出版社)

『濟南考古』(済南市考古研究所编/科学出版社)

『濟南文物大观』(伯沂·洪源/五洲传播出版社)

『濟南事情』(濟南日本商工會議所編)

『濟南の史蹟と名勝』(馬場春吉著/山東文化研究會)

『濟南舊蹟志』(南滿洲鐵道株式會社庶務部調査課編/南滿洲鐵道)

『山東省の乱壇と地方官僚(近代中国の地域像)』(宮田義矢/山川出版社)

『戦争・災害と近代東アジアの民衆宗教』(宮田義矢/有志舎)

『学生が見た済南社会』(愛知大学現代中国学部中国現地研究実習委員会編/あるむ)

『李清照 その人と文学』(徐培均著·山田侑平訳/日中出版)

『山東仏教の成立と変容過程』(劉継生/通信教育部論集)

『舜の孝子説話の発展と拡大』(徳田進/高崎経済大学論集)

『濟南繁昌記』(梅原喜滿次/濟南福隆洋行)

『中国·山東省の仏像：飛鳥仏の面影』(Miho Museum編集/Miho Museum友の会)

『全調査東アジア近代の都市と建築』(大成建設/筑摩書房)

『中国における百貨店業態の変容』(石鋭/アジア経営研究)

『世界大百科事典』(平凡社)

OpenStreetMap

(C)OpenStreetMap contributors

済南／黄河と泰山はざまの「山東省都」

まちごとパブリッシングの旅行ガイド
Machigoto INDIA , Machigoto ASIA , Machigoto CHINA

マカオ-まちごとチャイナ

Juo-Mujin（電子書籍のみ）

自力旅游中国Tabisuru CHINA

山東省
と済南

N

0km   1000km

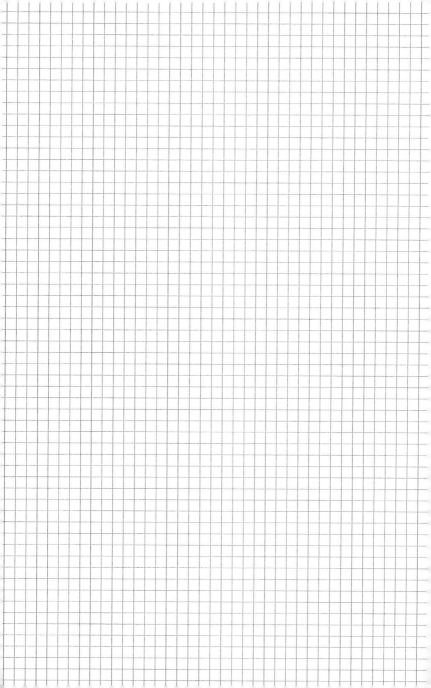

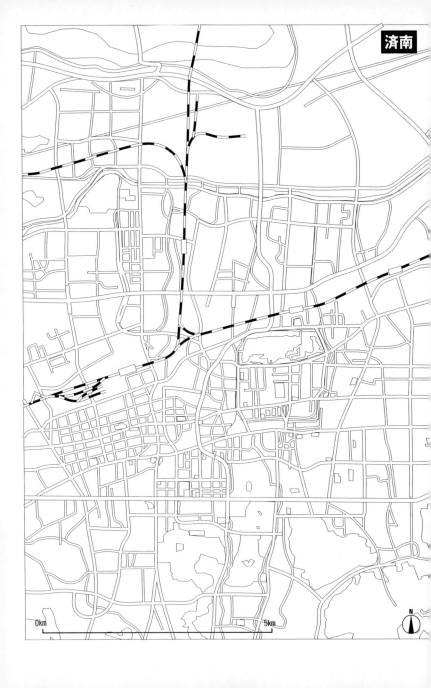

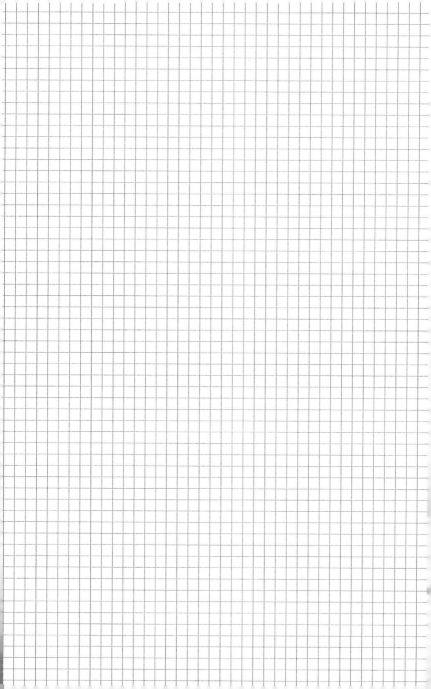

済南旧城

0km   2km

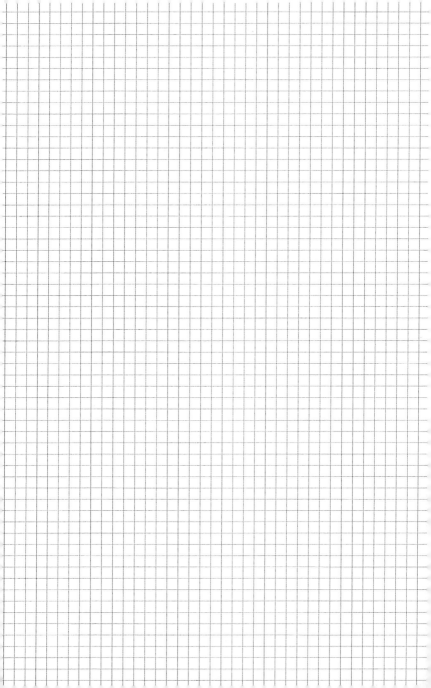

泉城広場

0m　　　　　　　　　　　500m

N

趵突泉公園

0m   500m   N

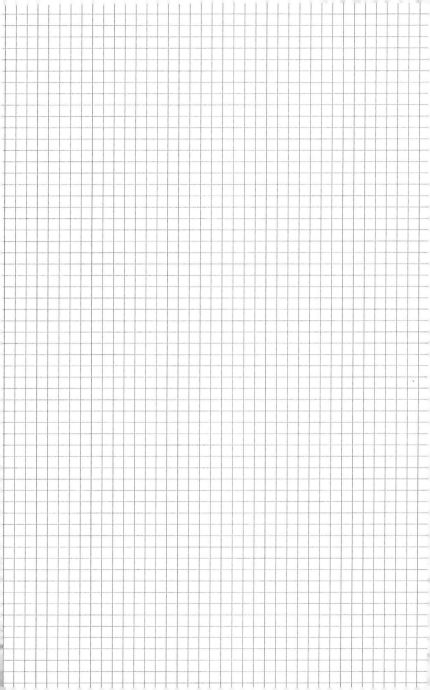

旧城中心

0m 500m

N

芙蓉街

0m

300m

N

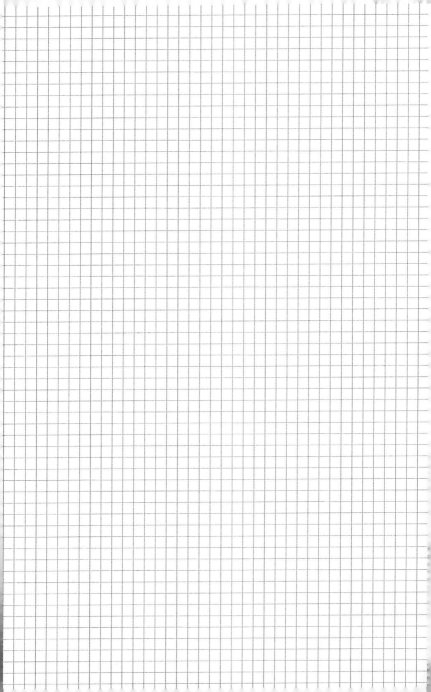

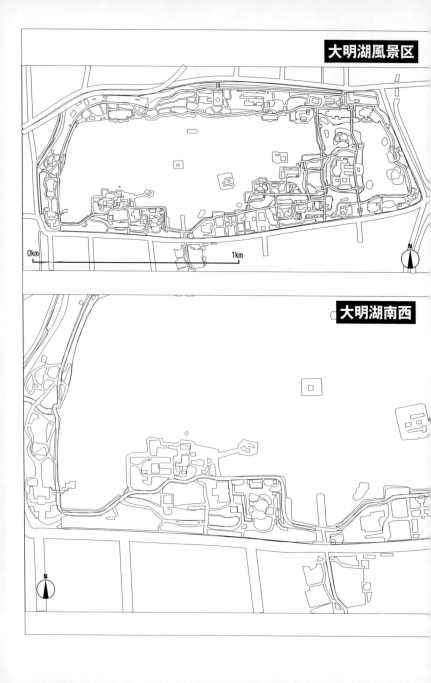

大明湖風景区

0km　　　　　　　1km

大明湖南西

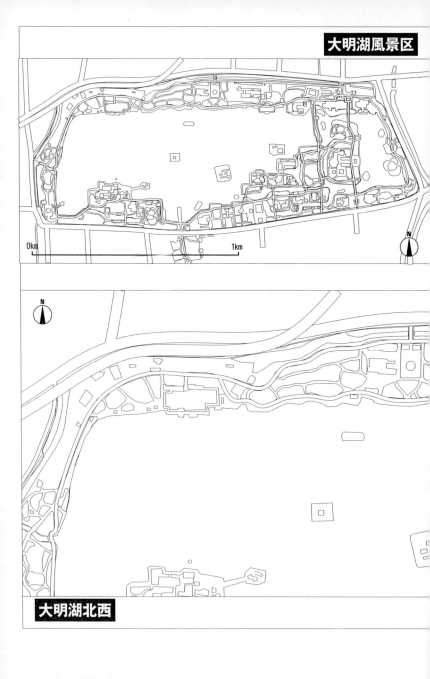

大明湖風景区

0km   1km

N

大明湖北西

N

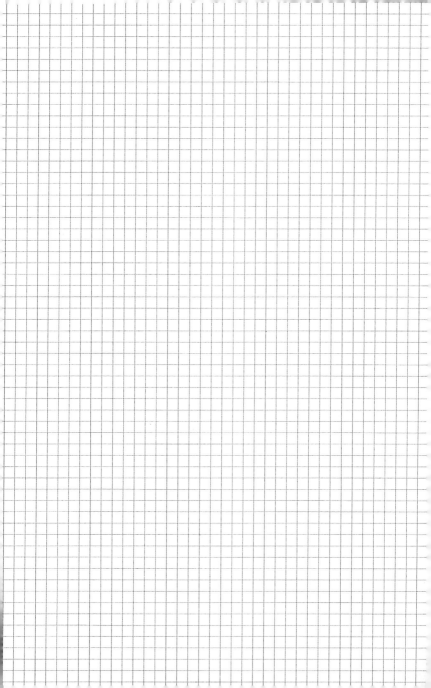

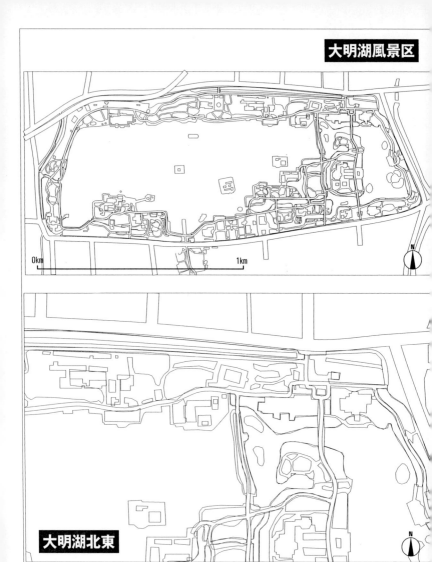

大明湖風景区

0km　　　　　　　　1km

N

大明湖北東

N

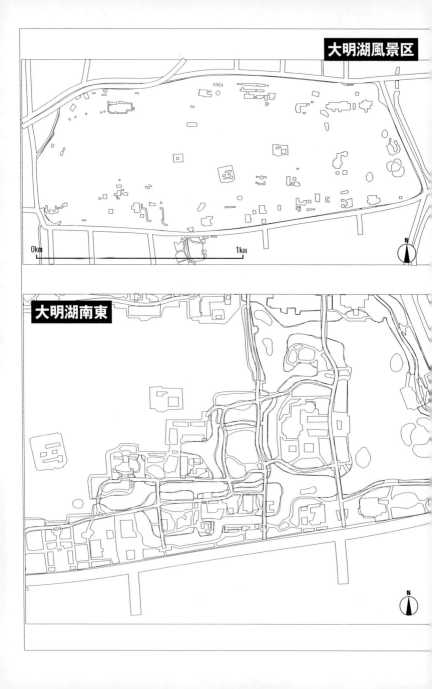

大明湖風景区

0km 1km N

大明湖南東

N

旧城東部

0km
1km

N

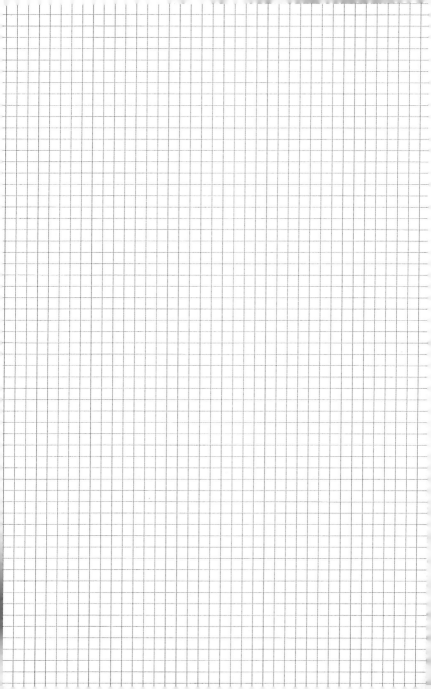

旧城西部

N

0km   1km

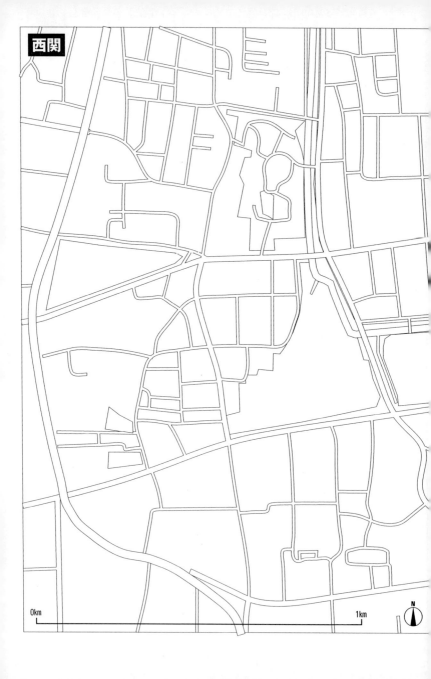

西関

0km   1km

N

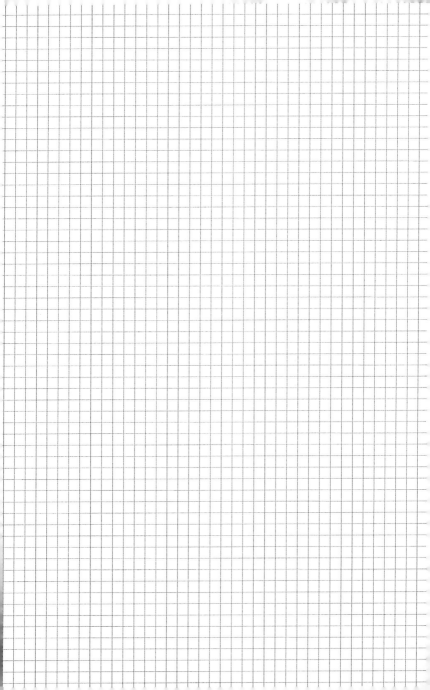

回民小区

0m　　　　　　　　　　500m

N

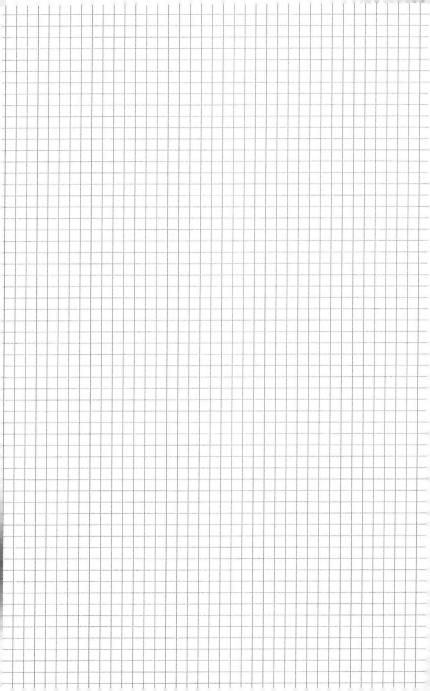

N

0m   500m

南圩子門外

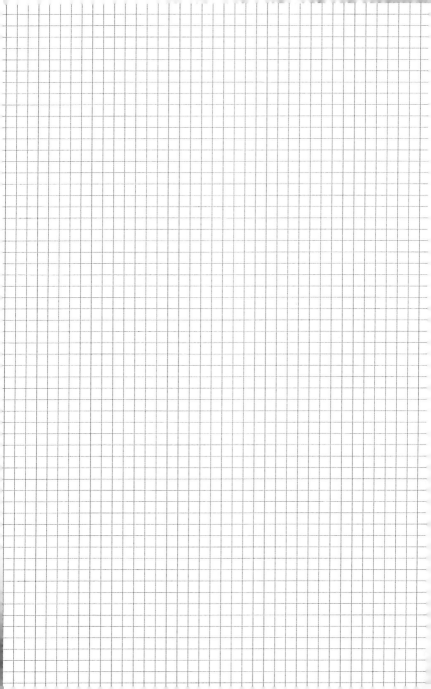

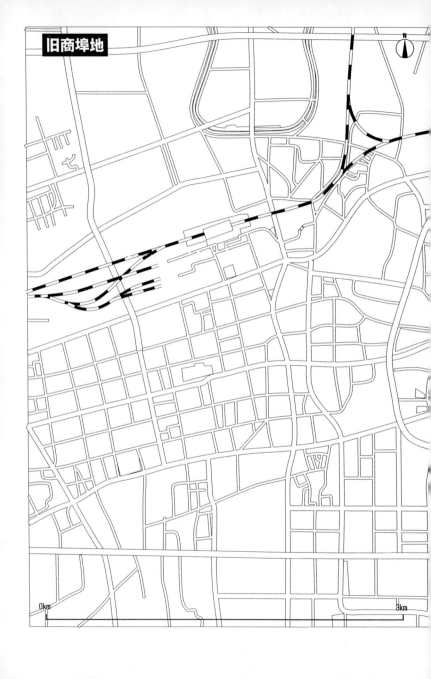

旧商埠地

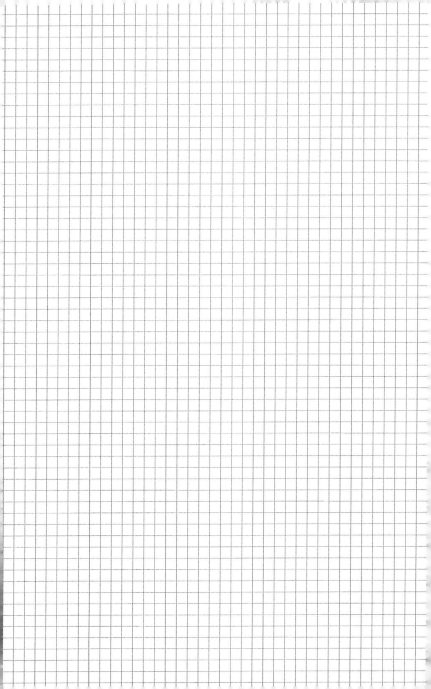

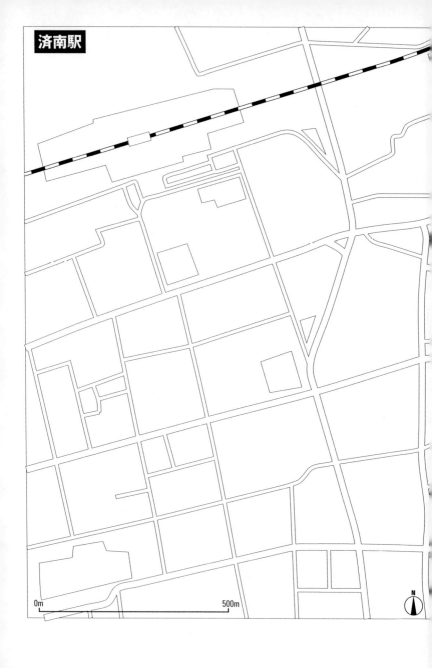

済南駅

0m   500m

N

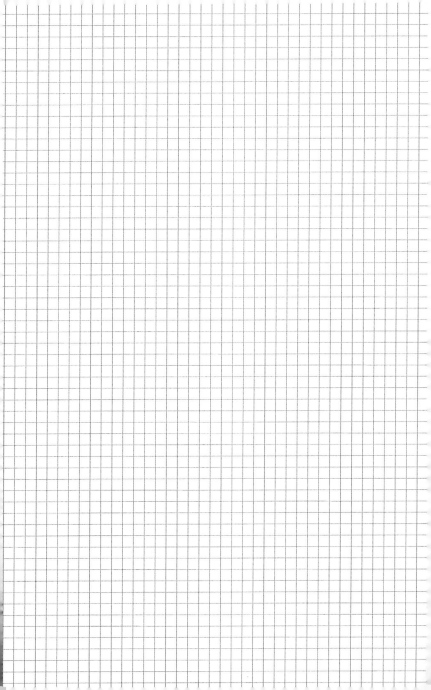

済南旧城
～千仏山

0km　　　　　　　　　　　　　　　　　2km

N

千仏山

N

0km   1km

歴山院
興国禅寺

N

0m   100m

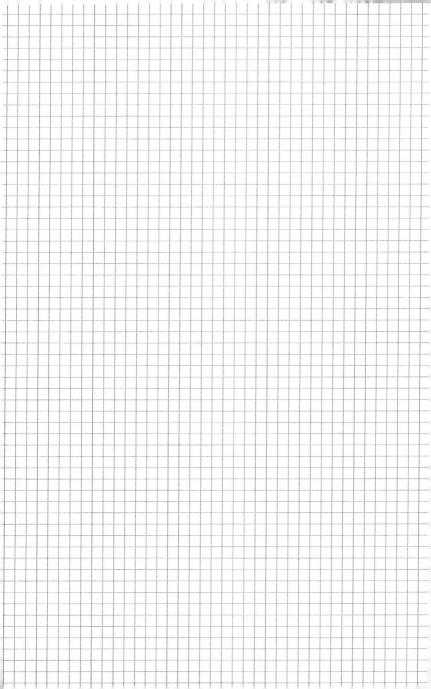

済南南部

0km

5km

N

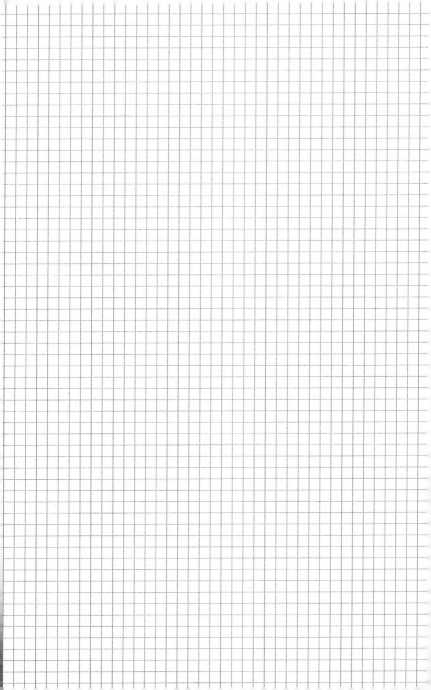

済南北部

0km   3km

N

済南東部

0km 5km

N

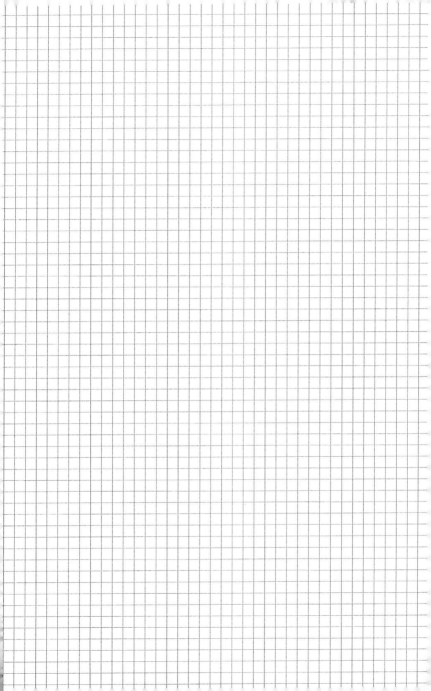

済南西部

0km 　　　　　5km

N

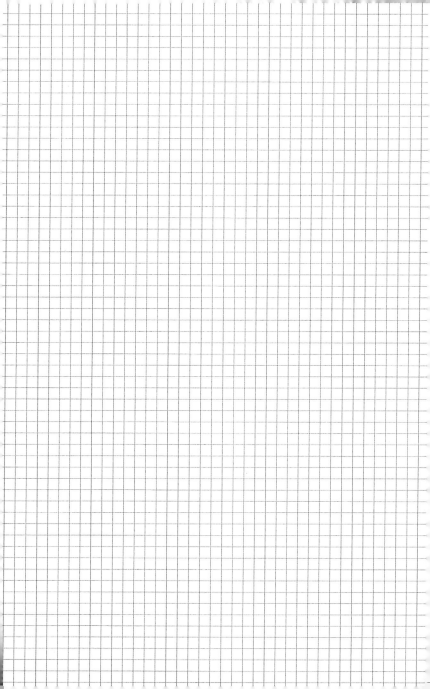

済南東郊外

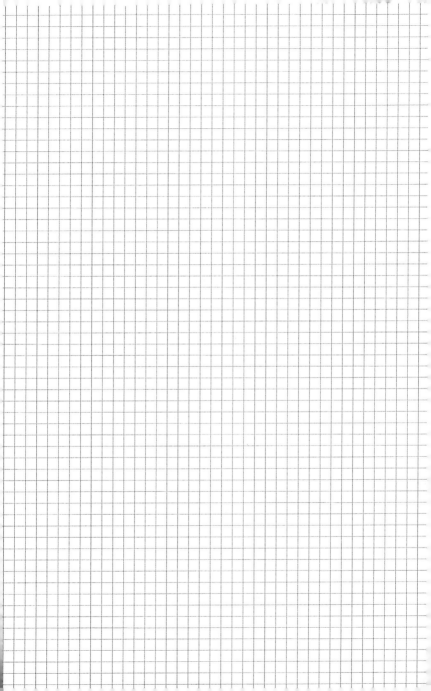

済南南郊外

0km

30km

N

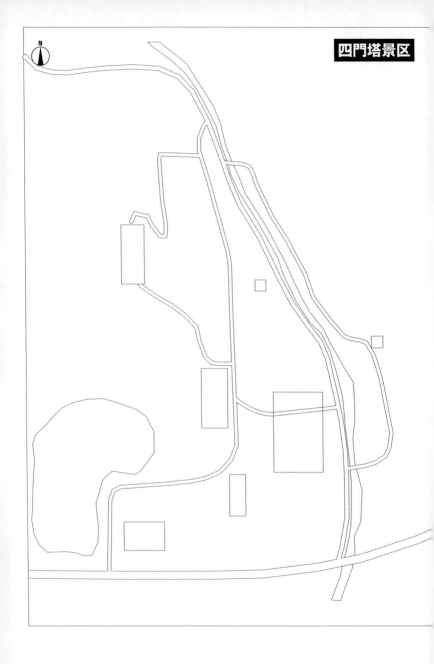

四門塔景区

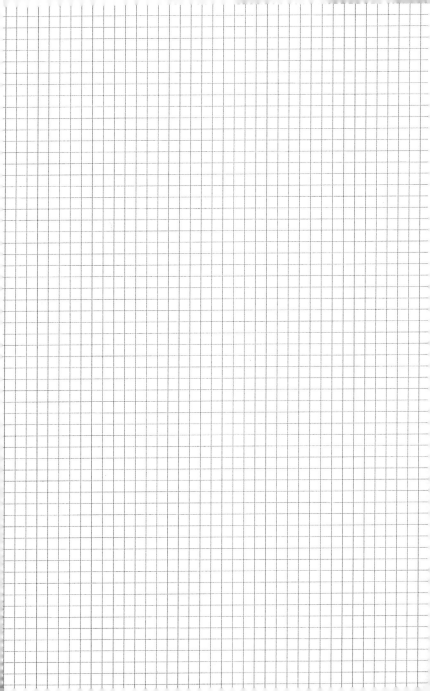

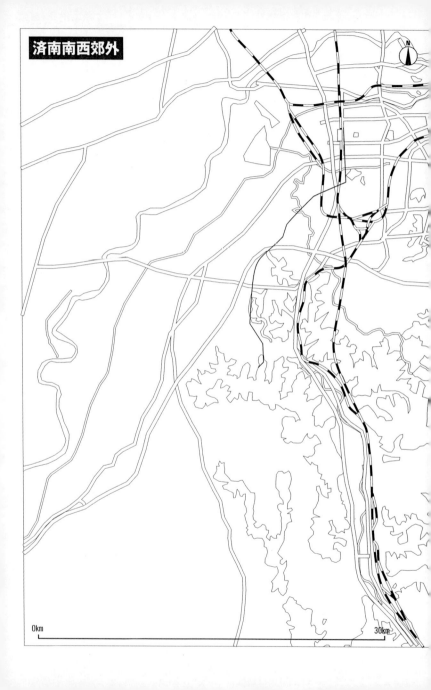

済南南西郊外

N

0km   30km

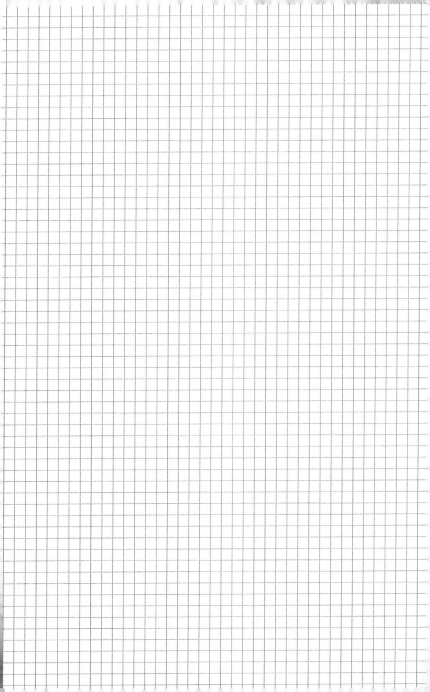

【車輪はつばさ】
南インドのアイラヴァテシュワラ寺院には
建築本体に車輪がついていて
寺院に乗った神さまが
人びとの想いを運ぶと言います

An amazing stone wheel of the Airavatesvara Temple
in the town of Darasuram, near Kumbakonam in the South India

まちごとチャイナ
山東省 007

済南
黄河と泰山はざまの「山東省都」
［モノクロノートブック版］

「アジア城市（まち）案内」制作委員会
まちごとパブリッシング
http://machigotopub.com

まちごとチャイナ
新版 山東省007済南
　～黄河と泰山はざまの「山東省都」

2020年 8月15日　発行

著　者　　　「アジア城市（まち）案内」制作委員会
発行者　　　赤松　耕次
発行所　　　まちごとパブリッシング株式会社
　　　　　　〒181-0013　東京都三鷹市下連雀4-4-36
　　　　　　URL http://www.machigotopub.com/
発売元　　　株式会社デジタルパブリッシングサービス
　　　　　　〒162-0812　東京都新宿区西五軒町11-13
　　　　　　清水ビル3F
印刷・製本　　株式会社デジタルパブリッシングサービス
　　　　　　URL http://www.d-pub.co.jp/

MP246